J’ai laissé mon cœur dans les brumes d’Édimbourg

Carolina Lozano est née à Barcelone en 1981. Diplômée de biologie anthropologique, elle a publié une dizaine de romans pour la jeunesse en Espagne.

Couverture : Jim Tierney

Ouvrage publié originellement en 2010 par edebé (Espagne),
sous le titre *Taibhse (Aparición)*

18, rue Barbès, 92128 Montrouge Cedex
Dépôt légal : février 2014
ISBN : 978-2-7470-4567-4

Cet ouvrage a été proposé à l'éditeur français par l'agence
EDITIO DIALOG, Michel Wenwel, Lille.
Suivi éditorial : Pierre Jaskarzec

Loi n° 49 956 du 16 juillet 1949 sur les publications destinées à la jeunesse.

J'ai laissé mon cœur dans les brumes d'Édimbourg

Carolina Lozano

Traduit de l'espagnol
par Isabelle Gugnon

bayard jeunesse

Si tu lis ces pages, cela signifie que je ne fais plus partie du monde des vivants. C'est drôle, car je suis pourtant là. Je n'ai jamais été le genre de fille à tenir un journal, mais, après ce qui m'est arrivé, j'ai décidé de laisser des notes détaillées pour que quelqu'un soit informé de mon aventure. Ou peut-être pour aider les psychiatres à mieux cerner ma folie. Peu importe. Sache que, si tu me lis, c'est que je n'écrirai plus jamais la moindre ligne.

Il te faudra en apprendre davantage à mon sujet afin de comprendre cette absurdité.

Je n'étais pas différente des autres, du moins en apparence. J'étais cependant marginale. Il est vrai qu'« il faut de tout pour faire un monde », chacun a ses bizarreries, mais, pendant mon avant-dernière année de lycée, je me suis éloignée de mes camarades, et le sentiment de ne pas leur ressembler m'a hantée au point de devenir angoissant. Soit je suis différente, soit j'ai vraiment sombré dans la folie.

Je tourne la page de ce vieux carnet, mais, à ma grande déception, la suivante est blanche. J'ai l'impression que les autres feuilles ont été arrachées il y a longtemps. J'adore les histoires mystérieuses et, même si ce journal n'est que le délire d'une fille qui devait autrefois s'ennuyer en classe, j'aurais bien aimé le lire. L'avantage, quand on étudie au Royal Dunedin, un ancien château d'Édimbourg avec de grands jardins toujours sombres, c'est qu'on peut s'abandonner à toutes sortes de rêveries ténébreuses. Je soupire, désappointée, et ferme le journal.

Je ne sais pas encore que, bientôt, je douterai moi aussi de ma santé mentale et que ma vie sera gravement menacée.

CHAPITRE 1
LIADAN

Ignorant que le destin va s'abattre sur moi, je range l'étrange carnet dans un tiroir de la table que le bibliothécaire m'a assignée. Ces quelques lignes ont suffi à me faire éprouver de la tendresse pour leur auteur. Moi non plus, je ne suis pas une fille ordinaire. Il fut un temps où je n'aurais jamais osé le dire ouvertement, mais maintenant ça ne me gêne plus de reconnaître que je suis bizarre.

À dix-sept ans, si on est normal, on ne passe pas ses soirées à faire des heures de surveillance dans la vieille bibliothèque de son lycée ni son temps libre à étudier par pur plaisir. J'aimerais croire que je ne suis pas seule en mon genre, mais les regards incrédules de mes camarades de classe et le scepticisme qui transparaît dans leur voix quand ils s'adressent à moi m'ont vite fait renoncer à cet espoir. Ce n'est pas que je m'entende mal avec les autres : j'entretiens plutôt avec eux des relations épisodiques, si ce n'est inexistantes. Je ne les intéresse guère et c'est réciproque, nos rapports sont donc cordiaux mais superficiels. Bien sûr, il y a des exceptions.

Pour une raison qui m'échappera toujours, j'intrigue certains garçons. Je crois même que je les fascine. Je ne suis pas laide, autant l'avouer en toute sincérité, mais je suis aussi terne que l'annonce mon prénom, Liadan, qui signifie « la femme grise » en irlandais. Il semblerait pourtant que je leur plaise. Mon indifférence doit les blesser dans leur orgueil et réveiller ainsi leur instinct de chasseur. Je suis sûre que, si je cédais à leurs avances, les garçons m'inscriraient à leur tableau de chasse, puis se détourneraient de moi. Or, je ne suis pas un trophée. Ce ne sont pas forcément les plus laids qui tentent de franchir la barrière de mon désintérêt, mais ceux qui ont du mal à supporter qu'une fille leur résiste. Comme toutes les autres, j'adorerais sortir avec un beau garçon ! Pourtant, je suis si maladroite en société et si consciente de cette réalité que je préfère m'enfermer dans ma tour d'ivoire.

Cette première exception à la règle m'amène à aborder sans détour la seconde. « Certaines choses ont des conséquences logiques », dirait mon professeur de philosophie. Beaucoup de filles me détestent. Cette aversion reste discrète, ce qui m'incite à croire qu'il suffirait de peu pour que je m'entende bien avec elles. Mais le fait est qu'elles m'en veulent. Elles se demandent comment une fille telle que moi, introvertie et fade, peut attirer les garçons qu'elles s'arrachent. Je me pose également la question, et je préférerais que les garçons ne me regardent pas et que les filles m'apprécient. Au lieu de rassurer celles-ci, la froideur que j'affiche devant leurs princes charmants les énerve encore plus. Quoi que je fasse, j'attise leur inimitié, et mon statut d'étrangère n'arrange rien à l'affaire. Alors, peu importe : je suis condamnée et je l'accepte, je n'ai pas le choix.

– Bonsoir, James, dis-je au portier dans un gaélique écossais presque parfait, en sortant du lycée.

– Bonsoir, mademoiselle *Montblaench*, me répond-il.

Peu d'Écossais sont capables de prononcer correctement mon nom, d'origine catalane.

*

Les cours ont repris depuis deux semaines. Comme dans tout lycée prestigieux qui se respecte, certains élèves ont été renvoyés pour céder la place à d'autres, plus brillants. Cela m'importe peu. Sauf exception, je ne prête pas davantage attention aux nouvelles têtes qu'aux anciennes. Je leur préfère les livres, qui me passionnent et que je trouve plus inoffensifs.

Cette année, la dernière que je passe au lycée et à Édimbourg, j'ai accepté la proposition de M. McEnzie, le directeur de l'école, de m'occuper de la vieille bibliothèque du Royal Dunedin. Ce nom pompeux est la forme abrégée de *Dun Eideann*, qui signifie « Édimbourg » en gaélique écossais. Être inscrit dans l'un des meilleurs lycées d'Écosse et de Grande-Bretagne est un motif de fierté. Les élèves aiment se qualifier de *dunedains* – ils doivent se prendre pour des personnages du *Seigneur des anneaux* !

J'adore Édimbourg parce que, dans ses belles rues anciennes, je n'attire pas le regard. À Barcelone, je raccourcissais mon prénom en « Lia », qui me paraît plus banal. Ici, tout le monde sauf mes amis m'appelle « Liadan » et mes cheveux roux clair n'étonnent personne. Il y a dans cette ville tellement de gens étranges – gothiques, adeptes du *heavy metal*, Écossais en kilt et autres individus fantasques – qu'il est plus difficile d'être normal qu'original. Si mes parents étaient encore en vie, je crois que je ne serais jamais partie en Écosse, comme le voulait ma mère. Après sa mort j'ai exaucé son souhait, estimant qu'il serait bon pour moi de changer d'air. Je pensais que le temps pluvieux, froid et gris d'Édimbourg conviendrait mieux à mon humeur morose que la tumultueuse et ensoleillée Barcelone peuplée de Catalans souriants, aussi hyperactifs que des *hobbits*.

Je suis venue m'installer ici il y a un peu plus d'un an, après le décès de mes parents dans un accident d'avion, quelque part au cœur de l'Amazonie. On n'a jamais retrouvé leurs corps ni ceux des étudiants qui voyageaient avec eux. En vérité, je ne les ai pas beaucoup pleurés : ils étaient si souvent absents qu'ils n'ont guère eu l'occasion de jouer leur rôle de parents. Ils étaient tous deux docteurs en anthropologie, réputés dans leur domaine de recherche, et passaient si peu de temps à la maison que je ne les voyais pratiquement jamais. Mme Riells, mon avocate et tutrice, me manque plus qu'eux.

Bien que j'aie versé des larmes le jour où je me suis séparée d'elle, je dois reconnaître que je ne regrette pas d'avoir déménagé en Écosse. J'ai ce pays dans le sang, même si je n'y suis liée que par ma mère. Celle-ci étant écossaise, je porte le nom insolite de Liadan Montblanc Macnair. Mes cheveux roux et ma peau claire, constellée de taches de rousseur, attestent sans aucun doute que je descends des envahisseurs irlandais qui ont occupé l'Écosse pendant plus de mille ans. Alors que ma mère avait des yeux d'un bleu limpide, je tiens mon regard sombre et mes sourcils épais de mon père, descendant d'une famille noble catalane, les Montblanc.

*

– Bon Dieu ! m'exclamé-je en espagnol en sortant du hall de pierre toujours glacial du lycée.

Je n'ai jamais pu m'habituer au climat de ma terre adoptive. Nous ne sommes que début octobre, mais le vent humide et froid me transperce les os au point de me faire mal aux côtes lorsque je respire. Je regarde les gens d'ici avec envie. Certains ne portent qu'une petite veste alors que je me gèle dans mon manteau en pure laine écossaise. Je m'empresse de laisser derrière moi le jardin éternellement vert du château et ses hautes grilles pour courir chez Aith, une fille géniale. Elle est originaire du nord de l'Écosse, plus précisément des Highlands, une région déserte et encore très religieuse. Sa famille, immensément riche, a fait fortune grâce à la laine de ses milliers de moutons. D'une grande douceur et très généreuse, Aith est la personne la plus désintéressée que je connaisse. Quant à son physique, il est tout simplement renversant. Avec ses traits délicats, ses cheveux blonds et brillants, ses yeux d'un bleu aussi pur que son esprit et sa façon élégante et romantique de s'habiller, on ne peut que l'adorer. « Aith » est le diminutif d'« Aithne », qui signifie « petite flamme ». Elle porte bien son prénom, car c'est un rayon de soleil dans une ville sombre. Je l'ai appréciée dès notre première rencontre, il y a de cela un an. Aith est ma meilleure amie, la seule personne que je puisse considérer ainsi.

*

Un quart d'heure plus tard, essoufflée à cause de la marche et du froid, je sonne à la porte de sa maison, située comme mon foyer adoptif dans la vieille ville. Pendant qu'elle étudie à Édimbourg, Aith habite chez son oncle et sa tante, car ses parents sont restés dans le Nord, à Inverness. Sachant que c'est moi, elle ouvre la porte à la place de la gouvernante, le sourire aux lèvres, et s'écarte pour me laisser entrer.

– Tu arrives du lycée ou des îles Shetland ?

– Très drôle ! m'exclamé-je en m'allégeant des cinq kilos que doivent peser mon manteau, mon écharpe et mon gros pull. Je te rappelle qu'en cette saison, dans mon pays, il fait vingt degrés, pas moins cinq !

– Tu habites ici depuis plus d'un an, Liadan, me rappelle-t-elle d'une voix suave tandis qu'une domestique me débarrasse de mes vêtements.

– Merci, Mary, lui dis-je, peu habituée à être servie. En parlant d'endroits glaciaux et désertiques, comment va Brian ?

– Très bien, répond-elle, et un sourire éclaire son visage angélique.

Comme il est facile de la rendre heureuse !

Brian, son petit ami, est à l'université ou, plutôt, passe son temps en plein air, car quand on étudie l'archéologie dans un pays au passé aussi riche que l'Écosse, on effectue très vite des fouilles. Brian vient d'entamer sa deuxième année et se trouve à présent à Skara Brae, l'un des sites archéologiques les plus importants des îles Orcades. Les trois quarts de l'année, il est donc loin d'Aith, qui devrait elle aussi être étudiante, puisqu'elle a un an de plus que moi. Mais l'été qui a précédé celui de mon arrivée, dans le parc du lycée, elle a reçu sur la tête une branche arrachée par le vent. Elle est restée quatre mois dans le coma et sa convalescence a duré près d'un semestre, ce qui lui a valu de redoubler.

Pendant que nous montons dans sa chambre, elle me raconte en détail sa dernière conversation avec Brian. Tous les soirs, vers six heures, ils se téléphonent longuement. Je considère le chagrin d'Aith avec une ironie un peu triste : si l'une de nous deux a des raisons de se sentir seule, c'est moi. Contrairement à mon amie, il est dans ma nature d'être solitaire ; pourtant, l'entendre parler de son petit ami avec émotion est si beau que j'ai l'impression de passer à côté de quelque chose d'important.

– Je t'envie, murmuré-je alors que nous pénétrons dans son immense chambre.

Aith me regarde et pince les lèvres comme si elle compatissait.

– Tu n'as aucune raison, tu n'aimerais pas qu'un garçon prenne trop de place dans ta vie.

Elle dit vrai. Je m'empresse de changer de sujet et lui rappelle qu'il faut nous mettre à notre devoir de maths. Quelques instants plus tard, nous sommes plongées dans nos exercices de calcul mental, affalées par terre près de la cheminée. Mais Aith a du mal à se concentrer plus de cinq minutes et tambourine sur la moquette avec son stylo. Elle m'empêche de travailler.

– Qu'est-ce que tu as ? lui demandé-je.

– Ce soir, Keir joue au Red Doors. Tu veux venir avec moi ?

Inutile de me le dire deux fois. Keir, son cousin, a deux ans de plus que moi et fait partie d'un groupe. Sa musique me plaît, mais pas autant que lui. Il ressemble de manière frappante à l'acteur Charlie Hunnam. Malheureusement, je suis paniquée à l'idée de sortir avec Aith. Elle attire les regards et l'attention de tous et, quand je l'accompagne, moi non plus je ne passe pas inaperçue. Cela me met mal à l'aise.

– Je n'ai pas prévenu Malcolm, protesté-je.

Pour les autres élèves, Malcolm est le professeur McEnzie, le grand directeur du Royal Dunedin, mais il m'a demandé de l'appeler « Malcolm » ou, pire, « oncle Malcolm ». Il connaissait très bien ma mère, dont la mort lui a brisé le cœur. Il m'a accueillie chez lui pour me permettre d'étudier dans son lycée prestigieux et s'obstine à jouer le rôle de père de substitution.

– Pour ça, il y a le téléphone, Liadan, me rétorque Aith. Tu vas devoir trouver un autre prétexte.

– Euh... je suis mineure ?

– Allons, Liadan, me lance mon amie d'un ton suppliant. Tu sais bien que c'est plus drôle quand tu es là. Toi aussi, tu vas bien t'amuser.

Je soupire et, bien sûr, je cède. On ne peut rien refuser à Aith quand elle fait cette tête de petit ange malheureux. Froissant mes devoirs et les siens, elle m'embrasse alors qu'elle sait que ce genre d'effusions me hérisse. Nous passons un moment à lisser nos papiers éparpillés sur la moquette.

*

À Édimbourg, il est très important d'être bien habillé. Moi qui viens d'un pays où personne ne cherche à se faire remarquer par sa tenue vestimentaire, ça m'agace de voir que, dans cette ville, toutes les femmes se mettent sur leur trente et un, même pour se rendre dans un pub qui ressemble à un repaire de vampires. Je laisse donc Aith décider de ce que je vais porter à la place de mon jean et mon pull. Par chance, nous faisons la même taille de vêtements.

– Ne t'inquiète pas, me dit-elle en ouvrant son dressing gigantesque. On va te trouver quelque chose de sombre et de discret, comme tu aimes.

À neuf heures, nous sortons de chez elle pour nous diriger vers le Red Doors. Comme la plupart des endroits qui nous attirent, ce pub se trouve juste après les Meadows, une sorte de parc en longueur, biscornu et vallonné. On dirait un vieux champ du siècle dernier resté intact tandis que la ville a grandi tout autour. Bien qu'il fasse déjà nuit, des gens profitent de la lumière des réverbères pour jouer au golf. À Édimbourg, on pratique ce sport n'importe où. Je relève la belle robe grise qu'Aith m'a prêtée afin d'éviter de la mouiller dans l'herbe humide. Je me sens comme une princesse médiévale et j'aime cette impression.

Le Red Doors se trouve sur le pont George IV, dans le quartier le plus central de la vieille ville, non loin du château et de la cathédrale. Comme de nombreux autres pubs en Écosse, celui-ci a été aménagé dans une ancienne et ravissante église dont le clocher surplombe les constructions à trois étages typiques des îles Britanniques. On dirait une petite cathédrale de pierre sombre. Les portes rouges qui donnent leur nom au pub font songer à l'entrée des Enfers.

– Bonsoir, mademoiselle McWyatt, dit le vigile à Aith en nous laissant passer. Mademoiselle *Montblaench*...

L'intérieur étant surchauffé, je me fais une joie d'enlever mon manteau et de le poser sur un petit autel reconverti en vestiaire, dans une des nefs latérales. Le groupe de Keir est déjà sur scène. Nous commandons des boissons au bar et nous installons à une table entourée de hauts tabourets, toujours prêtes à nous délecter des chansons que nous avons pourtant entendues des centaines de fois. Nous aimons la musique gothique des Lost Fionns. Ce terme est difficile à traduire : dans la mythologie écossaise, les Fionns sont des créatures masculines très belles et chevaleresques qui séduisent les jeunes filles et les emmènent ensuite dans leurs châteaux magiques. Le nom du groupe, très évocateur, signifie donc plus ou moins « les princes charmants maudits ».

Pendant qu'Aith fredonne la mélodie, je n'arrive pas à détacher mes yeux de Keir ; son prénom, qui veut dire « obscur », s'oppose donc à celui de sa cousine. Ils se ressemblent pourtant beaucoup, et lui aussi a des airs angéliques. Il est beau, sympathique, parfait. Dès la fin du concert, Keir se dirige vers nous, acclamé par le public qui le salue sur son passage. Nous l'applaudissons avec enthousiasme lorsqu'il arrive à notre table en nous adressant un sourire charmeur. Avec ses boucles cuivrées ébouriffées et ruisselantes de sueur, il me fait songer à un guerrier viking après une bataille. Tout bien réfléchi, ni Aith ni Keir ne sont des Écossais de pure souche : ils descendent à l'évidence des envahisseurs scandinaves.

– C'est super que tu sois venue, me dit Keir après avoir embrassé sa cousine. J'espère qu'Aith ne t'a pas trop forcé la main.

Évidemment, je rougis, mais ça ne se remarque pas dans la pénombre. N'ayant pas l'habitude d'élever la voix et redoutant de paraître brusque si je me mets à crier, je me contente de lui sourire.

– Il paraît qu'à partir de demain, tu vas t'occuper de la bibliothèque du lycée le soir, me lance Keir en se rapprochant pour que nous puissions nous entendre.

– Oui, jusqu'à huit heures.

– Eh bien, tu es courageuse, lâche-t-il de manière inattendue.

– Pourquoi ?

– On ne t'a jamais parlé du fantôme du Royal Dunedin ?

En Écosse, les fantômes ne manquent pas, c'est bien connu. Beaucoup d'Écossais y croient, des parapsychologues et des pseudo-scientifiques du monde entier viennent d'ailleurs visiter Stirling Castle, les catacombes d'Édimbourg, son château ou le cimetière de Greyfriars pour tenter de capter les voix des morts et se livrer à toutes sortes d'analyses. Moi qui ne jure que par la science, je ne pense pas que les fantômes existent. Si on me prouve le contraire, je changerai peut-être d'avis, mais ça n'est pas près d'arriver.

– Il y a également un autre fantôme dans le château, ajoute Aith en affichant son sourire le plus malicieux. On m'a souvent dit que, sur le lac, on voit parfois une jeune fille habillée en blanc. Elle se serait noyée au XVIIIe siècle.

Keir baisse les yeux et paraît un instant angoissé, mais il se ressaisit vite, si bien que je crois avoir rêvé. Les mains en appui sur la table, il me regarde.

– Comme tu le sais, le château qui abrite le Royal Dunedin a été construit au XVe siècle. Au même endroit, quelques siècles plus tôt, se dressait une grande tour au pied de laquelle les dignes précurseurs de William Wallace, surnommé Braveheart, et les partisans du roi d'Angleterre se sont livré une bataille sanglante. Beaucoup d'hommes ont perdu la vie pendant ces combats et n'ont pas été enterrés selon leurs coutumes, déclare-t-il, une expression énigmatique sur le visage.

Comme Aith et moi-même, Keir et Brian ont fait leurs études secondaires au Royal Dunedin. Le cousin de mon amie s'est ensuite inscrit à la faculté d'histoire, d'où ses connaissances approfondies dans ce domaine.

– Un des guerriers n'a pas pu franchir la barrière de l'au-delà. Il est resté prisonnier du monde des vivants dans l'ancienne tour, autour de laquelle a ensuite été édifié le château, poursuit Keir. Depuis, certaines personnes ont vu ou entendu ce jeune homme qui erre dans les couloirs et change les livres de place dans la bibliothèque.

– Très bien, dis-je en haussant les sourcils. Tant qu'il ne dérange pas les autres lecteurs et remet les ouvrages dans les rayons après les avoir consultés, il peut se promener où il veut.

– Tu es trop cartésienne, Lia, me lance Keir en secouant la tête.

– Enfin, Keir, ta théorie est absurde. Pourquoi y aurait-il des morts qui restent tranquilles et d'autres non ?

– Tu n'as qu'à poser la question au fantôme de la bibliothèque, lâche-t-il d'un ton espiègle.

Son conseil me fait rire. S'il cherche à m'effrayer, il emploie les grands moyens. Mais je ne suis pas si naïve ! En tout cas, je m'en tiens à mon scepticisme, sans doute un peu trop.

*

Nous restons encore deux longues heures à bavarder devant nos verres avec Keir et son groupe. Ils se moquent de moi parce que je bois du Coca dans l'un des pubs où l'on sert la meilleure bière du monde. Je n'aime pas l'alcool et j'ai passé l'âge de me laisser entraîner dans des beuveries qui vous donnent ensuite envie de disparaître sous terre. Il est plus de minuit lorsque Keir, Aith, qui habite chez lui, et moi traversons les Meadows pour rentrer. Keir propose de me raccompagner jusqu'à la maison de Malcolm. Comme je l'ai déjà dit, Édimbourg regorge de gens bizarres, cela fait partie du charme de la ville, mais il est moins agréable de les croiser la nuit, quand on est seul. S'il n'était pas si tard et si je n'avais pas vu dans Bruntsfield Park, quelque temps plus tôt, un type vraiment étrange, habillé comme un soldat de la Seconde Guerre mondiale, j'aurais refusé sa proposition.

Nous gardons le silence pendant presque tout le trajet. Keir me connaît depuis un an, assez longtemps pour savoir que s'il veut bavarder, c'est à lui de lancer la conversation. Il me demande comment ça se passe en cours, si j'apprécie tel ou tel professeur, et m'interroge sur ce qui me manque le plus de l'Espagne. Je marche auprès de lui et j'admire son aisance. En arrivant devant la grille des McEnzie, nous sommes en pleine discussion sur les climats.

– En fait, je crois que je préfère le froid, déclaré-je en pressant la sonnette, espérant que le gardien me reconnaîtra sur l'image captée par la caméra de l'Interphone.

– On ne dirait pas ! s'esclaffe Keir, qui ne porte qu'une petite veste en cuir sur un fin pull bleu.

– Bonsoir, mademoiselle Montblanc ! s'exclame soudain le gardien.

Malcolm a veillé à ce que tout son personnel prononce correctement mon nom.

– Bonsoir ! lui dis-je en poussant la grille, qui vient de se déverrouiller. Salut, Keir, merci de m'avoir raccompagnée jusqu'ici.

– Tout le plaisir était pour moi, Liadan. On se voit bientôt ? me demande-t-il en se fendant d'un dernier sourire avant de s'éloigner.

Je rougis, traverse le jardin et gagne rapidement la porte de la maison. Je n'ai pas envie de songer davantage à la soirée qui vient de s'écouler. Je n'aime pas me coucher tard quand je dois me lever aux aurores. Mon corps n'arrive pas à suivre le rythme de mon esprit et je trouve ça désespérant.

*

Comme je l'avais prévu, Aith et moi bâillons à nous décrocher la mâchoire une bonne partie de la matinée. Nous ne regrettons rien : après tout, nous nous sommes bien amusées. Pendant l'heure de grammaire, Aith essaye de me persuader que son cousin s'intéresse à moi. Je contre-attaque en maths et lui expose les multiples raisons qui rendent son affirmation improbable. Mon amie cesse d'insister lorsque mes arguments atteignent le nombre de vingt. En cours d'histoire, nous sommes obligées de nous concentrer, parce que le professeur énonce les règles à respecter dans l'élaboration d'un travail de recherche qui comptera pour moitié dans notre moyenne. Je préfère ce genre de devoirs aux examens.

– Tu le feras avec moi ? murmure Aith.

– Bien sûr ! m'écrié-je, un peu vexée qu'elle puisse en douter, mais heureuse qu'elle pense à moi.

– Super. Puisque j'ai une amie membre du club international des gens ayant un QI extraordinaire, autant que j'en profite, affirme-t-elle avec un grand sourire.

Par réflexe, je détourne la tête. Attirer l'attention me fait toujours honte, et, bien que dans ce lycée être surdoué ne soit ni mal considéré, ni associé aux clichés habituels, je déteste que les gens sachent que j'ai un QI élevé. Quand ils l'apprennent, la plupart des élèves hochent la tête d'un air entendu, comme s'ils comprenaient soudain mon comportement étrange.

Je ne sens pas passer les deux heures de littérature de l'après-midi. J'aime beaucoup lire et, avec les sciences, c'est ma matière préférée, même si le professeur est d'une exigence rare.

Lorsque retentit la cloche lugubre indiquant la fin des cours, je me rends directement à la bibliothèque. Celle-ci se trouve au premier étage, mais, comme le lycée était autrefois un immense château aux couloirs labyrinthiques, je dois faire plusieurs détours avant d'y arriver.

Je dévale l'escalier en colimaçon de la tour malgré l'interdiction du concierge, qui n'aime pas qu'on l'emprunte. Il craint toujours que nous ne glissions sur ces vieilles marches irrégulières. Il nous rappelle souvent l'histoire d'une fille qui, en trébuchant, s'y serait brisé le cou il y a cinquante ans. Je n'ai jamais pu vérifier si c'était vrai ou non.

Comme d'habitude, le vaste couloir conduisant à la bibliothèque est désert. J'ouvre la lourde porte de bois patiné avec l'immense clé que m'a confiée Malcolm et respire avec délice l'odeur des vieux ouvrages. La bibliothèque occupe près de la moitié de l'aile ouest. Spacieuse, la première salle comprend de nombreuses tables et plusieurs rangées de rayonnages. Des couloirs sombres débouchent sur trois pièces exiguës, tout en longueur, qui donnent accès à deux minuscules cabinets individuels et à de petits bureaux où sont entreposées des archives. Le Royal Dunedin possède un grand nombre de documents datant de la guerre d'indépendance de l'Écosse, ainsi que des transcriptions de manuscrits plus anciens. Il n'est pas rare d'y voir travailler des chercheurs, des écrivains, des historiens et des étudiants préparant leur thèse. En général, les lieux sont déserts l'après-midi : les élèves n'aiment guère s'y installer, contrairement à moi, qui adore cet endroit. Quand j'ai accepté sa proposition, Malcolm a poussé un soupir de soulagement. Cela le rassure : ma permanence à la bibliothèque m'empêchera de faire d'éventuelles bêtises jusqu'à l'heure du dîner, après quoi j'irai bien sagement me coucher.

*

M'étant familiarisée la veille avec la base de données (cette bibliothèque a beau dater du XVIe siècle, elle est dotée d'un système informatique à la pointe de la technologie), je me promène un moment entre les rayonnages, puis décide de m'installer tranquillement à la table du bibliothécaire. Je ne suis pas peureuse et ne crains pas de lire un ouvrage sur les démons dans cet endroit désert.

J'adore les histoires de vampires et suis ravie d'avoir déniché une anthologie de nouvelles les concernant. Il s'agit de textes anciens qui donnent vraiment la chair de poule, et j'imagine qu'au bout d'un moment, le climat macabre de ce livre va finir par me troubler. En effet, j'ai bientôt l'impression de ne pas être seule. Parcourue de frissons, je lève les yeux.

– Quelle idiote ! m'exclamé-je en souriant.

Il n'y a personne d'autre que moi dans la salle, mon imagination vient juste de me jouer un mauvais tour. Ça m'arrive parfois, surtout quand je lis ou écoute des récits d'épouvante. C'est le problème quand on est trop rêveur. Je consulte ma montre : huit heures moins le quart. Il est grand temps de renoncer à la lecture, à l'évasion, et de quitter les lieux. Je m'oblige à faire une ronde, même si je sais qu'il n'y a pas un chat. C'est indispensable pour m'assurer qu'il ne reste pas quelqu'un dont la présence m'aurait échappé. Si ce malheureux n'avait pas de téléphone pour demander de l'aide, il passerait sa nuit dans le noir et la solitude.

Je m'engage dans le couloir de gauche et inspecte le bureau du fond et les petits cabinets de travail, puis regagne la salle principale, décidée à emprunter le couloir central. Je fronce les sourcils en entendant du bruit, marche à vive allure dans la galerie de droite, oubliant mon projet initial, pour traverser l'accueillante salle de lecture et atteindre la petite pièce où sont entreposées les archives du château. Je reste pétrifiée devant la porte : il y a un garçon à l'intérieur. Sa présence me bouleverse moins que son allure :

même sans distinguer entièrement son visage, j'ai la conviction de n'avoir jamais vu quelqu'un d'aussi beau.

Il semble plutôt grand, a le teint pâle de la plupart des Écossais et des traits délicats. Une mèche raide auburn lui barre le front. Contrairement à moi, dont la chevelure est plutôt blond vénitien, ce garçon est un vrai roux aux splendides cheveux, très sombres. Son pull noir fait ressortir leur singulière teinte ambrée. Accoudé sur la table, il est plongé dans la lecture d'un des documents les plus anciens des archives. Il ne m'a apparemment pas entendue, bien que je n'aie pas été très discrète.

– Excuse-moi, lui dis-je d'une voix hésitante.

Je me sens rougir. Mais il ne réagit pas. Je le comprends : quand je lis, j'oublie moi aussi tout ce qui se passe autour de moi. Je m'approche et pose avec délicatesse les mains de l'autre côté de la table, pour ne pas le faire sursauter.

– Excuse-moi, mais la bibliothèque va bientôt fermer, lui expliqué-je en élevant la voix.

Il met quelques secondes avant de s'arracher à son livre et me fixe. Quant à moi, je n'arrive pas à détacher mon regard de cet incroyable jeune homme. Ses yeux sont verts, mais si clairs qu'ils ont l'air transparents. Maintenant, je peux dire avec certitude que c'est le plus beau garçon que j'aie vu de toute ma courte vie. Il me scrute sans rien dire, le visage animé d'une expression indéchiffrable.

– C'est à moi que tu parles ? demande-t-il, étonné.

Il a une voix grave, pour ne pas dire caverneuse, mais magnifique, et aussi l'allure séduisante d'un de ces guerriers celtes que toute l'Europe redoutait (actuellement, les garçons qui me plaisent semblent venir du Moyen Âge). Il est clair que je l'ai dérangé et j'en suis désolée.

– Excuse-moi, je ne voulais pas te faire peur, mais on ferme.

Il me regarde encore quelques secondes sous les lumières tremblotantes, comme s'il venait juste de reprendre contact avec la réalité. Il ne semble pas se soucier du froid glacial qui règne dans la pièce, alors que moi, je grelotte.

– Euh... Très bien, bredouille-t-il, encore hébété. Je vais y aller...

Il a prononcé cette phrase comme une question. Le pauvre devait être très absorbé par sa lecture.

– Tu peux revenir demain, si tu veux. Je ne t'ai pas vu entrer parce que j'étais en train de lire, mais maintenant je sais que tu es un habitué et je ferai attention de ne pas t'enfermer.

Je lui souris pour le rassurer.

– Merci. Oui, je pense revenir, alors... à demain, peut-être.

Il pose son dossier sur une étagère, à la bonne place et sans hésiter malgré son trouble, et quitte les lieux après m'avoir lancé un dernier coup d'œil. Je le vois se diriger droit vers le mur, puis, s'apercevant de son étourderie, il sort par la porte.

– Ce que j'aime à Édimbourg, c'est qu'ici, je ne suis pas la plus étrange, murmuré-je pour moi-même tandis qu'il s'éloigne dans la pénombre du couloir.

CHAPITRE 2
ALASTAIR

Je me force à emprunter les portes pour sortir du château, puis m'en éloigne par la cour arrière et, presque s'en m'en rendre compte, parcours l'un des sentiers sombres et pavés qui mènent jusqu'au lac. L'obscurité ne me dérange pas, je connais le jardin comme ma poche. Je m'allonge sur la rive, peu soucieux de mouiller mes vêtements dans l'herbe.

Je suis perplexe et inquiet. Cela faisait longtemps que ce genre de chose ne m'était pas arrivé, du moins pas de manière aussi évidente. C'était si inattendu que j'ai du mal à y croire. Manifestement, cette fille ne m'a pas trouvé bizarre. Si elle a rougi et balbutié, c'est plus par timidité que par peur. En tout cas, je me demande ce qu'elle faisait dans la bibliothèque à une heure où celle-ci est en principe fermée. Je me moque qu'elle soit là, je sais rester discret, mais elle m'a vu, elle m'a même parlé et, pire encore, je ne lui ai pas paru étrange. Quand je pense à sa façon de me regarder et de s'adresser à moi, j'en ai encore des frissons. Elle a de la chance de m'avoir croisé, moi et non un autre. Je ne comprends pas comment elle a pu survivre dans une ville comme Édimbourg.

Je distingue une tache blanche et diffuse qui s'approche de la berge. C'est Caitlin, qui s'empresse de s'asseoir à mes côtés. Ses cheveux blonds, raides et humides, tombent sur les épaules brodées de sa robe écrue. Elle m'observe longuement sans souffler mot. Probablement sent-elle que je ne suis pas dans mon état normal.

– Alastair, que se passe-t-il ? s'écrie-t-elle. On dirait que tu viens de voir un fantôme.

Elle rit de son bon mot qui me fait sourire. Elle ignore à quel point elle a raison. Mais je n'ai pas l'intention de lui révéler quoi que ce soit. Moins les gens en sauront, mieux ce sera. Je reste un moment avec elle, à parler du temps, du ciel et de la vie insaisissable qui nous entoure avant de m'enfoncer dans le petit bois. Je me demande ce que je vais faire demain.

Il serait illusoire de croire que j'ai le choix. Je ne suis guère différent des autres : même quand j'ai projeté d'autres activités, la force de l'habitude m'entraîne comme toujours vers la bibliothèque dès que la sonnerie familière de la vieille cloche retentit pour signifier la fin des cours.

*

La porte de la bibliothèque est ouverte et les lumières allumées. La fille est là, assise à la table du responsable des lieux, plongée dans un livre ouvert devant elle. Pour une adolescente de son époque, elle est assez banale. Vêtue de sombre, elle porte un pantalon, et le reste de sa tenue n'a rien d'excentrique. Avec ses cheveux roux et son teint pâle parsemé de légères taches de rousseur, elle doit descendre des anciens habitants de l'Eire. D'instinct, cela me déplaît. Je n'avais encore jamais vu des yeux aussi noirs et profonds, comme ceux de certains personnages dans les récits d'horreur, et je frémis rien que d'y songer.

Je la vois frissonner et, tout à coup, elle lève la tête, sur ses gardes, et scrute la porte. Elle est pétrifiée, à tel point que je me demande si elle sait que je suis ici, puis ses joues s'empourprent et elle m'adresse un sourire empreint de timidité.

– Bonjour, me dit-elle dans un filet de voix, hésitante. Tu peux entrer, inutile de rester sur le seuil. Avant de partir, je ferai le tour des bureaux, au cas où quelqu'un serait arrivé sans que je m'en aperçoive.

Je prends conscience que j'espérais qu'elle m'ignorerait. J'aurais bien voulu que l'incident d'hier ait été le fruit d'une erreur. Mais il n'en est rien. Aujourd'hui encore, elle me voit et, pour couronner le tout, m'invite dans *ma* bibliothèque. Elle m'observe, aussi étonnée que moi. Je dois réagir. Si elle n'a rien remarqué d'insolite, tant mieux, mais demeurer planté là ne m'aidera sûrement pas à paraître normal.

– Merci, soufflé-je.

Suis-je en train de bavarder avec l'un d'entre eux ?

Je me dirige vers le couloir de droite, tâchant de cesser de la scruter et de ne pas trop m'approcher des rayonnages.

– Quand il sera l'heure de fermer, je te préviendrai, murmure-t-elle dans mon dos.

En m'annonçant cela, elle veut sans doute me rassurer, éviter de me surprendre comme elle l'a fait hier aux archives. Apparemment, elle n'aime pas déranger les gens.

Je gagne le bureau, peu soucieux désormais de fouiller les lieux bruyamment. Je prends sur l'étagère poussiéreuse le dossier contenant les manuscrits qui m'intéressent et le pose sur la table. Pour l'occasion, j'ai veillé à m'habiller comme les jeunes gens d'aujourd'hui : je porte un sweat-shirt et une veste que je suspends sur le dossier de ma chaise. J'écarte mes mèches rebelles avant d'examiner les registres comptables du château datant du XIIIe siècle. À partir de certains détails concernant les récoltes ou les tributs versés par les vassaux, je découvrirai peut-être jusqu'où s'étendait le périmètre de l'ancienne tour de garde sur l'emplacement de laquelle le château a été édifié.

*

Le temps a passé vite, car j'entends déjà la jeune fille s'approcher de mon bureau d'un pas sonore pour ne pas me prendre au dépourvu. Je lève les yeux et la découvre transie, ses bras menus croisés sur la poitrine. J'essaie de me calmer. Je n'avais pas conscience d'être aussi tendu. Elle regarde autour d'elle, ses grands yeux noirs empreints d'inquiétude.

– On se gèle, ici, dit-elle. Si tu viens plus souvent, je demanderai au concierge de mettre un chauffage d'appoint.

– Ce n'est pas nécessaire, réponds-je d'un ton précipité.

J'ai l'impression qu'elle est déçue.

– À moins que tu n'aies pas l'intention de revenir...

– Si, si, susurré-je.

Avec une irritation qui ne me ressemble pas, je songe : « C'est toi qui ne devrais pas être ici. »

– Ça ne me dérange pas, je n'ai pas froid, m'empressé-je de préciser.

– D'accord, admet-elle, comme pour s'excuser d'avoir eu une réaction normale.

Je la regarde, fasciné. Elle est là, devant moi, attentive, prête à poursuivre la conversation.

– Comment t'appelles-tu ?

Ces mots sont sortis tout seuls de ma bouche alors que je sais pertinemment qu'il vaudrait mieux en rester là.

– Lia... Enfin, je veux dire... Liadan.

Un nom originaire de l'Eire, je m'en doutais.

– Tu es... irlandaise ? lui demandé-je, gagné par une haine instinctive qui m'alarme.

Je n'ai pas l'habitude de me laisser emporter ainsi et, depuis des années, rien ni personne ne m'a mis en colère. Je m'efforce de me contenir : l'époque où les habitants de l'Eire étaient nos ennemis est révolue et cette créature douce et fragile ne m'a fait aucun mal. Ce n'est pas sa faute si elle est là, à bavarder avec moi.

– Non, je viens de Barcelone, répond-elle.

Elle prend mon étonnement pour de l'ignorance.

– Barcelone est une ville esp...

– Je sais, la coupé-je en souriant. Tu es loin de chez toi.

– Je suis partie en Écosse après la mort de mes parents. Ma mère est née ici.

– Ah... Tu avais besoin... de lui échapper ? lancé-je en tâtant le terrain.

Elle m'observe comme si j'étais fou et je la comprends. Elle ne sait donc rien.

– Ma mère a toujours voulu que je fasse mes études ici, comme elle, m'explique-t-elle. Malcolm, enfin, je veux dire : le professeur McEnzie m'héberge chez lui jusqu'à la fin de l'année.

– Je vois.

Les choses se compliquent. Le directeur du lycée est censé connaître chacun des élèves, mais moi, il ne m'a jamais rencontré. Je réalise alors à *qui* je parle et, de crainte de me trahir, je me hâte d'aller reposer le dossier sur le rayonnage et me dirige vers la porte.

– Et toi, comment tu t'appelles ?

Je peste contre moi-même. Puisque j'ai commis la maladresse de lui demander son prénom, il est normal qu'elle veuille connaître le mien.

– Alar, lui dis-je en consultant l'horloge murale. Excuse-moi, mais j'abuse de ton temps. J'y vais.

Je m'éloigne à toute vitesse. Cette fille me rend nerveux, je parviens néanmoins à emprunter les couloirs tortueux pour quitter cet endroit. Heureusement que j'ai décidé de sortir par la porte, car Liadan s'est précipitée à mes trousses.

– Attends ! s'exclame-t-elle en souriant. Tu as oublié ta veste ! Tu vas mourir de froid, dehors.

Incrédule et crispé, je baisse les yeux sur le vêtement qu'elle serre dans sa main. Je frissonne, conscient qu'autour de nous, la température a baissé.

– Tu es pâle comme un linge, me fait-elle remarquer.

Cette jeune fille me met particulièrement mal à l'aise.

– Sûrement parce que je suis gelé, rétorqué-je en m'emparant de ma veste et en partant comme une flèche pour ne pas éveiller ses soupçons et éviter qu'elle ne se pose trop de questions.

Je ne retrouve mon calme que quelques heures plus tard. Caitlin est désormais persuadée que je lui cache quelque chose. Elle n'insiste pas quand je lui mens en affirmant que tout va bien, mais elle se ronge les ongles, préoccupée. Pauvre Caitlin, cantonnée aux abords du lac et obligée de sentir le poids de mes secrets sans jamais les connaître. Je n'ai pas envie de lui révéler mon aventure. Je ne suis pas encore prêt. Il fait nuit noire lorsque je lui dis bonsoir pour aller me coucher. En tout cas, je sais ce que je vais faire demain.

*

Pour le bien de tous – eux et nous –, il faut que j'observe Liadan. Je dois savoir si c'est moi qui suis anormal ou elle. Il est impossible que j'aie changé, pas après tant d'années. Je constate que les autres lycéens continuent de m'ignorer, cela me soulage et me confirme que je suis resté le même.

Je me déplace donc tranquillement en veillant à ne pas me faire voir de Liadan.

Elle arrive toujours seule au lycée et, en général, en baissant la tête. Quand elle la relève, sans doute pour ne pas se cogner aux gens, elle évite de croiser le regard de ses camarades, comme s'ils constituaient une menace. C'est ce qui l'a sauvée jusqu'à présent. J'ai rarement vu quelqu'un d'aussi réservé et me demande à quoi est due cette timidité. Elle semble équilibrée et a le calme et l'élégance des jeunes filles d'autrefois. Bien que ses yeux noirs ressemblent à ceux des *maras*, ces démons féminins vikings, ils ne choquent pas dans son visage doux aux traits candides. Ils lui donnent au contraire un air sensuel, séduisant et mystérieux. Pourtant, elle semble croire que le mépris des autres à son égard est justifié.

Je la vois souvent retrouver une autre fille dans une des pièces du château aménagées en salles de classe, au deuxième étage, réservé aux élèves de dernière année. Son amie est blonde, attirante, angélique. Elle a du charme, même si elle ressemble à une Scandinave, ce qui m'emplit d'amertume. Les Vikings sont les pires ennemis de mon peuple et des chrétiens. Cela faisait longtemps que je n'avais pas pensé à eux, mais découvrir de si nombreux adversaires dans mon pays me perturbe. J'ai beau me dire que cette adolescente n'y est pour rien, cela m'affecte. Je tâche donc de chasser ces pensées de mon esprit en me persuadant que les deux filles sont étrangères aux évènements de jadis.

La journée se poursuit sans grandes nouveautés, obéissant à la routine habituelle. Liadan et son amie sont inséparables. Parfois, d'autres lycéens les rejoignent pour déjeuner. Par moments, elles restent seules et bavardent entre elles. La blonde salue ses camarades avec douceur et garde son calme, bien que tous les regards se concentrent sur elle. Elle est du genre à avoir besoin de présence et de tendresse. Contrairement à son amie, Liadan n'est pas une personne très sociable et se débrouille sans l'aide de quiconque. Je me demande pourquoi elle est ainsi. Il paraît que les individus silencieux ont une vie spirituelle complexe et intéressante. Si c'est vrai, Liadan doit être dotée d'une personnalité d'une richesse exceptionnelle. Je remarque qu'il lui est difficile de converser avec quelqu'un d'autre que son amie. Pourtant, à l'heure du repas, deux garçons essaient d'attirer son attention.

Elle les fascine, c'est évident. Moi aussi, j'éprouve de l'attirance pour cette jeune fille énigmatique.

Je m'éloigne d'elle lorsque les cours reprennent, dans l'après-midi. Vais-je aller à la bibliothèque? Je dois me décider. Je pourrais m'y rendre sans me faire voir de Liadan. D'un autre côté, j'ai trop rarement l'occasion de discuter avec l'un d'eux, et je suis curieux de savoir quelle tournure vont prendre les évènements, même si c'est dangereux. « La curiosité est un vilain défaut », dit-on. Je ris, plaque une main sur ma bouche en constatant que j'ai fait frissonner un professeur qui traversait le couloir. C'est un homme âgé, en quelque sorte une vieille connaissance qui, de ce fait, est plus sensible à notre contact. Heureusement, aucun enseignant n'est resté assez longtemps dans ce lycée pour que sa perception devienne problématique. Cela me donne cependant matière à réfléchir. La curiosité est peut-être un vilain défaut, mais jusqu'à présent elle n'a encore tué personne, bien qu'elle puisse se révéler mortelle dans le cas de Liadan, ou la faire sombrer dans la folie, ce qui n'est souhaitable ni pour elle ni pour nous.

Venant à bout de ma volonté, la force d'inertie me pousse dans la bibliothèque. Je commence à penser que, comme tant d'autres, je me suis laissé prendre à mon propre piège. J'ai moins de liberté que je ne le croyais, ce qui ne me semble pas une mauvaise chose, car j'ai envie de voir Liadan. Estimant que je peux courir ce risque, je me dirige vers la bibliothèque dès que la cloche a sonné. Prudent, je m'assure qu'il n'y a personne d'autre qu'elle dans la salle de lecture, puis je franchis la porte.

Elle est là, solitaire, concentrée sur sa lecture. Je me demande ce qui la passionne au point de la couper du monde. Je m'approche pour lire quelques lignes par-dessus son épaule.

... Le vent a légèrement faibli, la grêle ne tombe plus avec autant de force, mais un léger martèlement lui parvient de la fenêtre. Ce n'est pas une vue de l'esprit. Elle est réveillée et l'entend. « Qu'est-ce que c'est ? » Un éclair zèbre à nouveau le ciel, quelqu'un crie. Elle est à présent persuadée que ce n'est pas son imagination. Une silhouette grande et maigre attend sur le rebord extérieur de la fenêtre. Ce sont ses ongles qui produisent ce bruit. La grêle a cessé. Pétrifiée par une peur intense, les mains jointes, elle sent son cœur battre si violemment qu'il lui donne l'impression d'éclater.

Le visage de marbre, les yeux dilatés rivés sur la fenêtre, elle ne bouge pas. Les ongles continuent de tambouriner contre la vitre. Elle n'entend pas un mot, scrute la forme sombre de la silhouette aux longs bras qui s'agitent comme des ailes. D'une manière ou d'une autre, elle cherche à entrer...

Je connais cette histoire : *Varney le vampire,* de James Malcolm Rymer, une excellente et terrifiante nouvelle écrite au début du XIXe siècle. Liadan frémit, sursaute et, par réflexe, lance soudain un bras en arrière, comme pour se défendre, et heurte ma jambe. Le coup n'est pas violent, mais à son contact une sensation de froid envahit mon corps, j'ai l'impression que je suis en train de geler. Dieu du ciel ! Elle se retourne brusquement et son visage d'une grande pâleur s'empourpre.

– Oh, désolée ! murmure-t-elle, le souffle coupé, honteuse de sa réaction.

– Non, c'est moi qui le suis, lui dis-je en toussotant pour qu'elle ne remarque pas mon trouble. J'étais curieux de savoir ce que tu lisais avec autant d'intérêt.

Liadan ne me tient pas rigueur de l'avoir espionnée. Encore étourdie par le choc, la respiration hachée, elle soulève l'ouvrage et me le montre. J'ai déjà identifié la nouvelle, mais fais semblant d'en parcourir le titre.

– Tu aimes les histoires qui font peur ?

– Oui, jusqu'à ce qu'elles me flanquent trop la frousse.

Elle ne s'est pas tout à fait remise de la frayeur que je lui ai causée, mais tente de se ressaisir.

– Je ne t'ai pas entendu entrer. Quand je lis, je m'évade de la réalité.

Elle me sourit d'un air navré. On dirait qu'elle a besoin de s'expliquer, qu'il est vital pour elle de justifier son comportement. C'est une jeune fille très particulière, et, même si cela m'arrange qu'elle culpabilise, j'en suis gêné.

Comme je garde le silence et la fixe avec insistance, son malaise augmente.

– J'ai demandé qu'on apporte un radiateur aux archives, m'annonce-t-elle. C'est vrai qu'il fait froid, ici.

– Merci, mais ce n'était pas la peine de t'embêter avec ça.

– Ce n'est pas un souci.

« Si, c'en est un », pensé-je en me dirigeant vers mon recoin paisible, dans cette bibliothèque qui ne devrait appartenir qu'à moi. Je m'arrête net, confus de me rendre compte que je deviens possessif. C'est un de nos traits de caractère auquel j'ai échappé jusqu'à présent et j'espère qu'il en sera toujours ainsi.

*

Le temps passe à toute vitesse et Liadan est de nouveau là, devant la porte des archives.

– C'est l'heure, murmuré-je calmement.

Je la sens nerveuse, comme si les pensées se bousculaient dans sa tête.

– Tu n'es pas un élève du Royal Dunedin, n'est-ce pas ? me demande-t-elle pendant que je rassemble mes affaires.

Je soupire intérieurement. Il est logique qu'elle ait envie de savoir ce que fait le seul lecteur qui fréquente la bibliothèque après les cours. Elle a eu le courage de braver sa timidité pour me poser la question, mais je n'ai pas l'intention de la féliciter de son initiative. Je cherche une réponse suffisamment plausible pour satisfaire sa curiosité.

– Non, c'est vrai. J'étudie l'histoire à l'université d'Édimbourg et je m'intéresse aux anciens habitants de la région.

– Ah bon ?

Son visage s'éclaire et ses yeux sombres brillent.

– Dans ce cas, tu dois sûrement connaître Keir, le cousin d'une amie. Lui aussi est en histoire. Et c'est le chanteur des Lost Fionns.

Pauvre de moi, je ne m'attendais pas à ça. Bien entendu, elle ne vit pas en dehors du monde, comme moi.

– Non, je ne crois pas. En tout cas, son nom ne me dit rien, réponds-je d'un ton insouciant en me fendant d'un sourire. Tu sais, on est nombreux, il est peut-être dans un autre groupe.

– Oui, admet-elle, à nouveau penaude.

Lui mentir me dérange, car je la sens embarrassée.

– Bon, on se voit peut-être demain, lui lancé-je, troublé à mon tour.

J'agis comme un imbécile. Elle me sourit, puis se rembrunit.

– Désolée, mais, demain, la bibliothèque est fermée. Je ne suis jamais là le vendredi, mais je te dis à lundi.

Je ne peux pas m'empêcher de sourire à mon tour.

– D'accord. À lundi alors, soufflé-je en pensant que, quoi qu'il en soit, je reviendrai demain.

Je m'éloigne, la jambe glacée depuis qu'elle m'a effleuré de sa main.

CHAPITRE 3

LIADAN

J'attends qu'il soit parti pour lui emboîter le pas et traverser la salle principale, en proie à un curieux mélange de nervosité et d'euphorie. Je sens encore la chaleur de sa jambe après l'avoir heurtée sans le vouloir. Comme dans un film ou un roman, je suis l'idiote qui revit en pensée l'instant où un charmant garçon l'a effleurée. C'est ridiculement fleur bleue, mais je suppose que cela signifie que ce garçon me plaît, autant l'admettre.

Je le trouve séduisant parce que je ne le connais pas, tout simplement. C'est ce qui m'arrive avec la plupart des garçons : je garde en mémoire les particularités subtiles que j'ai aimées chez eux au premier abord, puis mon imagination les enjolive pour qu'ils correspondent davantage à mes goûts. Ensuite, je confronte l'image que je me suis faite d'eux à la réalité, et mon attachement s'évanouit.

Le problème, c'est qu'Alar est plus âgé et plus attirant que moi. En outre, il m'a vue rougir si souvent qu'il doit certainement croire que j'ai des problèmes circulatoires. Ou mentaux. Peu importe. J'espère le revoir bientôt et lundi me paraît loin. Dès que je me serai habituée à lui et que j'en saurai davantage sur sa personne, le charme sera rompu et il cessera d'occuper mes pensées.

Je soupire en éteignant les lumières et ferme la porte de la bibliothèque. Je relève le col de mon manteau. Conformément aux consignes, je prends l'escalier principal avant de me diriger vers la sortie et d'affronter le froid.

– Bonsoir, James, dis-je au concierge.

– Bonsoir, mademoiselle *Montblaench.*

*

Le vendredi, Aith m'attend, comme toujours, devant la porte avant le début des cours. Cette fois-ci, elle a un sourire interrogateur aux lèvres.

– Alors ? Que s'est-il passé ? me demande-t-elle lorsque j'arrive à sa hauteur, luttant avec le fil de mon iPod coincé dans ma queue-de-cheval. Le mystérieux garçon de la bibliothèque était là ?

– Oui, chuchoté-je en entrant dans la classe, qui ressemble davantage à un plateau de cinéma qu'à une salle de lycée (vraiment, Édimbourg est une autre planète). Il est plus âgé que nous et étudie l'histoire à l'université.

– Keir le connaît peut-être ! s'écrie Aith, ravie. On va lui poser la question.

– Surtout pas !

Mon exclamation me vaut un froncement de sourcils de la part du professeur de grammaire, qui vient d'entrer et frappe en cadence une règle contre sa jambe.

– Ne lui en parle pas. Alar m'a déjà dit qu'il ne connaissait aucun Keir.

Je la regarde fixement pour m'assurer qu'elle n'ira pas mener l'enquête dans mon dos. Je n'aimerais pas qu'Alar apprenne que je cherche à me renseigner sur lui.

Comme nous n'avons pas cours le vendredi après-midi, sur le coup de trois heures, nous allons boire un Coca dans le parc de Princess Street, qui offre un beau panorama de la colline escarpée sur laquelle se dresse le château d'Édimbourg. Ce monument me fascine. Si j'envisage de faire des études de biologie par passion pour les animaux, ma véritable vocation est l'histoire. J'adore les châteaux et songe d'ailleurs à acheter un abonnement pour visiter celui-ci toutes les fois que j'en aurai envie. Quand je le lui dis, Aith sourit.

– Tu devrais vraiment étudier l'histoire, Lia. Si tu pars à la fin de l'année, cet abonnement ne te servira à rien, déclare-t-elle en prenant un air chagriné, afin de ne laisser aucun doute sur ce qu'elle pense de mon projet de repartir à Barcelone.

– Je sais, murmuré-je, de moins en moins sûre de vouloir quitter l'Écosse.

– En plus, ajoute-t-elle d'une voix suave, si tu entres en fac d'histoire à l'université d'Édimbourg, tu pourras demander de l'aide à Keir ou à ton mystérieux lecteur.

– Tais-toi ! lui dis-je, parcourue d'agréables frissons en l'entendant évoquer Alar.

*

Nous profitons de la journée du samedi pour aller faire des courses à Glasgow, qui est une ville plus grande qu'Édimbourg. Nous mettons un peu plus de deux heures pour y arriver. Aith est immensément riche, mais elle n'en laisse rien paraître lorsqu'elle fait les magasins. Ce n'est ni une acheteuse compulsive, ni une *fashion victim.* Elle n'achète que ce dont elle a besoin, pourtant je suis choquée de voir qu'elle n'hésite pas à dépenser trois cent trente livres pour s'offrir un pantalon qui lui plaît. Je n'ai pas de soucis d'argent et mes parents n'étaient pas précisément pauvres, mais je sais que leur héritage sera mon unique ressource jusqu'à ce que je gagne ma vie. J'évite donc de le dilapider, d'autant que ce qui pourrait représenter une fortune en Espagne n'en est pas une en Grande-Bretagne, où le niveau de vie est beaucoup plus élevé.

Nous déjeunons dans un restaurant italien (à force d'insister, j'ai réussi à faire aimer à Aith la saine cuisine méditerranéenne) et en profitons pour décider du programme de notre après-midi. Nous tombons vite d'accord : sur le chemin du retour, nous nous arrêterons à Crichton Castle, l'un de mes châteaux préférés, qui se trouve non loin d'Édimbourg. Pour y parvenir, il faut parcourir une petite route qui mène à la ville, puis marcher à travers la campagne vallonnée et déserte. Ce château nous plaît particulièrement en fin de journée, lorsque les visiteurs sont partis et que le brouillard commence à l'envelopper. Solitaire, il s'élève comme un lieu maudit sur une haute colline verdoyante. À l'intérieur, c'est l'un des monuments les mieux conservés de la région, mais, vu de l'extérieur, il paraît presque en ruines. Sa façade de pierres à facettes et ses arcs aveugles lui confèrent un aspect ténébreux envoûtant. C'est un cadre où on imagine sans peine se dérouler une légende écossaise.

Aith et moi nous asseyons dans l'herbe, sur nos vestes, au niveau d'un virage du chemin où apparaît le château. Je suis habituée au vent froid qui nous fouette les cheveux, il ne me dérange pas. Je me recoifferai dans la voiture. Comme tant d'autres fois, nous inventons une histoire d'amour dramatique qui aurait pu se passer dans ce château. Invariablement, nos récits se terminent bien. Nous aimons faire souffrir nos héros, mais ils finissent par être récompensés de leurs efforts et connaître le bonheur. L'amour mérite quelques sacrifices.

Le chevalier idéal qu'imagine Aith pour sauver nos princesses, nos servantes et nos paysannes a la robustesse et les cheveux châtains de Brian. Quant à moi, je me le représente sous des traits plus flous, en général blond aux yeux bleus. Aujourd'hui, je m'aperçois cependant qu'il est roux.

Je soupire, honteuse d'avoir eu cette pensée et inquiète d'être incapable de contrôler mes sentiments. Je n'ai pas envie de souffrir.

– Qu'est-ce que tu as ? me demande Aith en percevant mon trouble.

– Rien.

Je me tourne vers le château et plisse les yeux. Bien que l'endroit soit fermé à cette heure, je discerne une forme derrière une des fenêtres obscures. Je suis trop loin pour distinguer plus de détails, mais on dirait une femme aux longs cheveux noirs et aux yeux aussi sombres que les miens. Quelques secondes plus tard, elle disparaît dans la pénombre.

– Il y a quelqu'un dans le château, dis-je à Aith.

Elle observe chaque ouverture de la bâtisse, mais, évidemment, elle ne remarque rien de particulier.

– Je ne vois personne, constate-t-elle.

– Elle s'est cachée.

– Elle est sûrement avec une de ces bandes d'ados qui viennent se soûler ici. Ils finiront par saccager toutes les vieilles pierres d'Écosse.

Sur ce point, je suis d'accord avec elle, mais je pense qu'en l'occurrence, elle se trompe. Il m'a semblé qu'il s'agissait d'une femme adulte. Peut-être une employée des Monuments historiques ou une archéologue qui, bizarrement, porte une robe vaporeuse.

Le ciel couvert commence à déverser sur nous de lourdes gouttes de pluie glacées, annonciatrices d'une averse. Nous nous levons et regagnons la voiture sans nous presser, tout en enfilant nos imperméables. Ici, les précipitations sont si fréquentes qu'on ne se soucie guère d'être un peu mouillé.

– Tu fais quoi, demain ? me demande Aith en s'installant au volant de son Audi A3 gris métallisé.

– Comme toujours, Malcolm compte sur moi pour son déjeuner de famille, lui dis-je d'un ton plaintif.

Mon amie sourit. Malcolm est marié, mais il n'a pas d'enfants. Ce qu'il appelle sa « famille » est une palette variée de personnalités culturelles et distinguées de la ville. Partager un repas avec ses amis est toujours captivant. On parle d'histoire, de politique et de littérature, mais je ne m'y sens pas vraiment à mon aise, parce que tous les invités ont une bonne trentaine d'années de plus que moi et tiennent à me faire participer à leurs conversations.

Comme chaque dimanche, le déjeuner n'est pas dénué d'intérêt, mais il s'éternise. En milieu d'après-midi, je m'échappe dans mon studio en prétextant des devoirs à faire. Dans le petit salon de la « suite privée » que les McEnzie ont mise à ma disposition, j'ai une télé que je regarde peu. Je préfère me caler dans mon « fauteuil de lecture », situé dans un coin douillet, sous une lampe très puissante. Je prends un tome du *Seigneur des anneaux,* ma saga préférée.

Je lis, consciente de ma nervosité et de mon manque de concentration. Pour être franche, j'ai hâte d'être à demain soir et de retourner à la bibliothèque. Il m'a dit qu'il viendrait. Mon Dieu, je suis obsédée par ce garçon ! Après quelques instants de réflexion, je me dis qu'il n'est pas dans ma nature d'être ainsi. J'ai beau être obnubilée par Alar, je sais que je vais l'oublier tout aussi rapidement.

*

Lundi matin, en me préparant, puis sur le trajet du lycée, j'analyse à fond mes sentiments, une habitude compulsive qui m'emplit parfois d'amertume. À midi, lorsque je gagne le réfectoire aménagé dans les anciennes cuisines du château, je suis moins distraite, plus attentive à la réalité et je me sens beaucoup mieux. J'en suis arrivée à la conclusion que j'aime aller à la bibliothèque pour discuter avec Alar parce qu'il est agréable à regarder, séduisant, et que tout le monde aime contempler la beauté. Je ne dois pas m'habituer à l'attendre, parce que le jour où il aura terminé ses recherches, il cessera de venir. Moi qui fréquentais au départ cet endroit par goût, il serait dommage que je me détourne de la bibliothèque parce que Alar n'y étudie plus.

Forte des recommandations que je m'adresse à moi-même, je prends congé d'Aith à la fin des cours en lui disant de passer le bonjour à Brian lorsqu'elle l'aura au téléphone. C'est un garçon génial et ils forment un couple merveilleux. Je me dirige ensuite vers la bibliothèque sans me presser, m'interdisant de me recoiffer et d'arranger mes vêtements toutes les cinq minutes.

Je passe consciencieusement l'endroit en revue pour m'assurer qu'il est en ordre. À ma grande surprise, je me rends compte qu'un livre n'a pas été remis à sa place. J'ai une excellente mémoire visuelle et je connais cet ouvrage, qui attire mon regard comme s'il me faisait signe. Il s'agit d'un traité de parapsychologie sur l'au-delà, et quelqu'un l'a rangé dans le rayon de philosophie.

Je le cale sous mon bras gauche en maugréant et ris intérieurement. Je vais devoir annoncer à Keir que le fantôme de la bibliothèque m'a joué un mauvais tour et met la pagaille dans les livres. Je suis pourtant pratiquement sûre que jeudi, quand je suis partie, cet ouvrage était dans son rayon. Si ça n'avait pas été le cas, ça m'aurait sauté aux yeux.

Il a sans doute été consulté par un professeur ou un des chercheurs qui viennent travailler le matin, pendant leurs heures de loisir. Mais qui peut donc s'intéresser à ce type de traité ? Je traverse la salle de lecture, allume plusieurs petites lampes au-dessus des fauteuils qui donnent sur le lac et la forêt, puis me rends aux archives dans l'intention d'allumer le chauffage d'appoint, au cas où il ferait trop froid. En me penchant pour actionner le bouton, je me mets à grelotter. Je ne comprends pas pourquoi cette pièce est aussi glaciale.

– C'est normal dans les vieux châteaux, chuchoté-je pour moi-même.

D'après les scientifiques, l'air glacé censé envelopper les fantômes dans des endroits tels que celui-ci n'est en réalité dû à rien d'autre qu'à l'irrégularité des épais murs de pierre.

– Mon Dieu !

En me redressant pour me tourner vers la porte, j'ai la peur de ma vie. Alar est là. Il m'observe d'un air interrogateur qui équivaut peut-être à un bonjour. Une mèche de ses beaux cheveux auburn tombe sur son œil gauche vert translucide. Il porte une veste en laine gris sombre, un jean usé et des baskets. Pour la première fois, je remarque qu'il a emporté un carnet de notes.

– Mon Dieu ! répété-je, plus calme. Tu es vraiment très silencieux !

– Désolé, s'excuse-t-il en souriant, visiblement amusé par mon commentaire. Où vas-tu avec ce pavé ? Tu t'intéresses aux phénomènes paranormaux ?

– Bien sûr que non ! m'écrié-je d'une voix indignée. Il n'était pas à sa place quand je suis arrivée, je voulais juste le ranger.

– Je vois, répond-il en fronçant les sourcils d'un air qui se veut peut-être complice. Tu n'as qu'à le laisser ici, je m'en occuperai plus tard. Comme ça, je pourrai y jeter un œil quand j'en aurai assez de compulser les archives.

– Comme tu veux..., soufflé-je, étonnée. À tout à l'heure, lui dis-je en posant le livre sur la table.

Avant que je sorte, il m'adresse un autre sourire. J'ai envie de fermer la bibliothèque pour le seul plaisir de lui parler de nouveau. Mon intention de ne plus penser à lui s'est volatilisée en un rien de temps.

*

Lorsque je regagne la salle principale, une surprise m'attend. Un des élèves du cours de littérature est venu me demander conseil. Avec ses cheveux blonds et ses yeux clairs, il a la beauté typique des Britanniques. Il me regarde avec insistance, cheerchant peut-être à m'analyser, curieux et fasciné, comme tous les garçons qui se retrouvent en face de moi. Je le salue rapidement, et tâche de dissimuler ma timidité maladive.

– Bonjour, Lia... Tu as entendu?

L'écho d'un bruit sourd, amplifié par les murs de pierre, vient de résonner. J'imagine qu'Alar a laissé échapper le volumineux traité de parapsychologie : il doit contenir tellement d'inepties qu'il lui est tombé des mains.

– Il y a un étudiant dans le bureau des archives, Evan, expliqué-je.

Il semble se détendre. Je suis sûre que lui aussi croit à l'existence du fantôme du château.

– Je cherche un livre pour le devoir de littérature sur les écrivains maudits, tu sais...

Il me scrute dans l'attente d'une réponse, espérant que je lui donne une piste. Evan est champion de rugby et je doute qu'il soit passionné par la lecture. Je réfléchis, me fends d'un nouveau sourire, mon arme pour compenser ma maladresse quand je communique avec les autres.

– Eh bien, je te suggère d'aller dans la grande salle et de consulter la biographie de Verlaine et Rimbaud, surnommés les « poètes maudits ».

– Merci, Lia. Je te dois un chocolat chaud.

Par chance, il a tourné les talons au moment où je rougissais. Quand il revient, j'ai repris un aspect normal.

– Merci, répète-t-il en me montrant un ouvrage datant des années 1960 qu'il considère avec inquiétude.

– Je crois qu'il y a aussi un film qui parle des poètes maudits, ajouté-je, prise de pitié, pour lui faciliter la tâche. Avec Leonardo DiCaprio, mais je ne sais pas si on l'a ici.

– Ça fera deux chocolats chauds ! s'exclame-t-il en prenant sa veste sur le portemanteau, près de la porte. Je ne l'ai pas vu, ton étudiant. Il a dû partir en laissant le chauffage allumé et les documents sur la table. Il y en a qui sont tout de même culottés...

Je ne sais pas si je dois m'esclaffer ou me fâcher. Evan semble avoir oublié que, l'année prochaine, lui aussi sera un « étudiant culotté ».

– Il est sûrement en train de chercher un livre dans les rayonnages, murmuré-je en priant pour qu'Alar ne l'ait pas entendu.

– Dans ce cas, il est vraiment discret. Allez, j'y vais. À demain, Lia.

Je me fais violence et évite de me précipiter aux archives pour vérifier si Alar est encore là. Il pourrait croire que je le surveille. En tout cas, je ne l'ai pas vu quitter la bibliothèque, pourtant j'ai été attentive aujourd'hui. Je sens la tension monter jusqu'à ce qu'Alar apparaisse, à huit heures moins le quart, au bout du couloir de gauche. Intérieurement, je me moque de mes ridicules états d'âme.

Alar me souhaite une bonne soirée et prend congé en me lançant un rassurant « À demain » assez solennel. Peu après, tandis que le bruit de ses pas s'éloigne, je me livre à la routine habituelle et éteins toutes les lumières. Alar a bien évidemment rangé les documents qu'il a consultés et remis le traité de parapsychologie en place. Je vais m'en assurer pour calmer la méfiance que les réflexions d'Evan ont éveillée en moi. Alar est soigneux, cela ne fait aucun doute, pourtant le pavé n'est pas dans le rayon des sciences parallèles. Il l'a peut-être laissé aux archives.

Mais, là non plus, je ne le trouve pas. Je reste pétrifiée en découvrant le maudit ouvrage à l'endroit où il était à mon arrivée. Alar l'a mis là, or, pour atteindre le rayon de philosophie, il faut traverser la salle principale, et je ne l'ai pas vu le faire. C'est idiot, mais ça me rend nerveuse et je dois redoubler d'efforts pour m'empêcher d'échafauder toutes sortes d'hypothèses.

CHAPITRE 4
ALASTAIR

J'ai conscience de prendre de gros risques en poursuivant ma relation avec Liadan, mais j'ai besoin d'éclaircir ce mystère. Me sentir surveillé sur mon propre territoire m'agace passablement et cette situation m'ennuie beaucoup plus que je ne veux l'admettre. À présent, je sais ce qu'on éprouve quand on est épié et, à vrai dire, cela n'a rien d'agréable. Je ne suis pas différent des autres et ne me contrôle pas toujours. Je maudis l'instant où le traité de parapsychologie m'a échappé des mains alors qu'un des leurs se trouvait dans la bibliothèque. Dans la mesure où celle-ci est ouverte, il est normal que des élèves viennent consulter des ouvrages. Mais c'est dangereux, surtout si Liadan leur dit qu'un étudiant est dans les murs et que, comme cet Evan, ils ont envie d'aller vérifier.

Je dois me résigner à ne plus retourner aux archives, mais cette décision m'irrite de manière surprenante.

Je réagis comme ceux de mon espèce. Par ailleurs, Liadan se trouve dans une situation périlleuse.

Je me hâte de sortir du château, puis, après m'être assuré qu'elle ne me suit pas, j'appelle Jon.

– Bonjour, Alastair ! s'exclame-t-il d'un ton enjoué. Comment tu vas ? Tu as besoin de quelque chose ?

– Non, Jon. Je voulais juste prendre des nouvelles.

Il met quelques secondes avant de reprendre la parole :

– Il n'y a rien de neuf. Pourquoi ?

– Comme ça, par curiosité.

– Enfin...

– Enfin quoi ?

– Ce n'est pas confirmé, mais on pense que quelqu'un s'est installé à Crichton. Je te rappellerai quand j'aurai obtenu plus d'informations.

– Parfait. Merci, à bientôt.

Je glisse le téléphone dans ma poche, songeur. Liadan n'a rien à voir avec Crichton Castle, je suis tranquille sur ce point. L'expression que je découvre sur le visage de Caitlin lorsque je lui rends visite m'inquiète davantage. Sa robe écrue et ses cheveux blonds ressortent dans la nuit faiblement éclairée par la lune.

– Alastair Wallace ! s'écrie-t-elle quand j'arrive devant elle. Maintenant, tu vas me dire ce qui se passe.

Je m'assois au bord de l'eau, hésitant entre plusieurs possibilités, conscient que Caitlin est inquiète et me fixe de ses yeux vitreux. J'ai froid. Je lui fais signe de venir me rejoindre, ce qui me fait gagner un peu de temps avant de trouver les mots adéquats pour lui expliquer la situation.

– J'ai rencontré une fille.

Elle reste perplexe, ne comprend pas en quoi cela pose un problème. Elle ajoute qu'elle ignorait qu'une nouvelle personne était arrivée au château.

– C'est une *dunedain*, précisé-je pour éviter tout malentendu.

Elle écarquille ses yeux clairs en mesurant l'impact de mes paroles.

– Il s'agit d'une… d'une élève ? demande-t-elle, des accents hystériques dans la voix.

– Je lui ai parlé.

Caitlin se met à trembler et se recroqueville en entourant ses genoux de ses bras.

– Je suis sûre que c'est un hasard… Elle ne s'adressait pas à toi, elle discutait avec un de ses camarades et…

– Non, nous étions tous les deux seuls, Caitlin, dis-je, très sérieux, en plongeant mes yeux dans les siens. Elle m'a même demandé de partir parce que la bibliothèque allait bientôt fermer. On en est à notre quatrième conversation.

Comme il fallait s'y attendre, Caitlin est stupéfaite et semble plus alarmée que moi.

– Elle ne sait pas…

– Non.

– Eh bien, elle doit disparaître, déclare-t-elle d'une voix blanche, passant de la peur à la résolution. Cela fait longtemps que personne n'est mort au château, on peut se permettre de provoquer un accident.

– Il n'en est pas question.

Elle me regarde fixement, tâchant de décrypter mes pensées.

– Évite de t'amouracher de cette fille, Alar, me prévient-elle. Elle est dangereuse, elle pourrait te faire du mal. À moi aussi, à nous tous. Tu sais qu'elle doit partir, sans quoi la situation s'aggravera. Si tu ne t'en sens pas le courage, amène-la ici, je m'en chargerai. Je peux aussi appeler Jon, je crois qu'il...

– Non, Caitlin. Tu sais que ce n'est pas bien.

Elle secoue la tête.

– Tôt ou tard, elle aura des soupçons, Alar. Plus tu attendras et plus il te sera difficile de te séparer d'elle. Cesse tout contact avec elle, c'est préférable.

Je ne réponds pas pour éviter de lui mentir. Pendant qu'elle se lève en me suppliant d'être raisonnable, je prends quelques décisions. Je n'ai pas l'intention de renoncer à fréquenter la bibliothèque et je pense que Liadan non plus. Comme moi, et bien que cela m'exaspère, elle croit que cet endroit lui appartient, ce qui se comprend. En dernier recours, je pourrais l'effrayer, je l'ai déjà fait avec d'autres, seulement je préfère ne pas y songer pour le moment. Ce n'est pas Liadan qui pose problème, mais son entourage.

Il m'est toujours possible de chasser les lecteurs de cet endroit, mais je risque d'attirer l'attention et, du coup, d'éloigner Liadan. J'écarte donc cette option. Caitlin a sans doute raison : je suis en train de m'attacher à cette fille. Cependant, c'est périlleux pour elle. La curiosité est un défaut très humain, mais irrésistible quand la nouveauté fait irruption dans une existence. De notre côté, nous sommes un peu trop obsessionnels et compulsifs, et je ne fais pas exception à la règle.

*

Mardi, je retourne à la bibliothèque après avoir vérifié si la voie est libre. Je me promène dans les couloirs du château pour m'assurer qu'aucun *dunedain* ne s'apprête à y entrer. Quand je suis certain que nous sommes seuls, hormis le gentil concierge et les femmes de service, je reprends le chemin de mon sanctuaire.

Comme toujours, je trouve Liadan avec un livre. Cette fois, elle relève aussitôt la tête, à croire qu'elle m'attendait. Elle m'observe en fronçant les sourcils, sur ses gardes, puis ses traits se détendent et elle rougit légèrement. Elle a dû prendre l'habitude de me voir et son émotion est moins forte qu'auparavant. C'est un progrès chez quelqu'un d'aussi timide. Je me réjouis qu'elle ait confiance en moi tout en pensant qu'elle a tort.

– Bonjour, Alar. Alors, ça avance, tes recherches? Tu veux que je t'apporte le traité de parapsychologie au cas où tu t'ennuierais?

– Non, ce n'est pas la peine. Aujourd'hui, j'ai du pain sur la planche. Merci quand même.

Dans son dos, je file cependant chercher le fameux ouvrage. Découvrir qu'il n'est pas à sa place m'agace, c'est pourquoi je le sors constamment du rayon des sciences parallèles. J'ignore pour quelle raison on s'acharne à le ranger là. La parapsychologie traitant de l'existence de l'âme et de la vie après la mort, ce livre devrait se trouver sur l'étagère réservée à la philosophie.

Comme hier, je veille à tout ranger avant que Liadan frappe à ma porte et s'aperçoive que j'ai pris le traité (en principe, je suis censé traverser la salle principale et donc passer devant elle pour gagner ce rayon, mais je ne veux pas la faire paniquer). J'inspire longuement avant de me tourner vers elle, puis la regarde en souriant. Au fond, sa présence m'irrite autant qu'elle me plaît. Elle est à présent plongée dans sa lecture, hors du monde. Je m'approche d'elle, heureux de la voir si sereine.

– Encore des histoires de vampires ? lui demandé-je.

– Non, répond-elle en sursautant. Maintenant, je m'intéresse aux fantômes.

Elle me montre son livre, une des nombreuses compilations de textes concernant les spectres et les mythes écossais. Je m'oblige à rester impassible. J'ai constaté que Liadan porte toujours des vêtements sombres. C'est peut-être une gothique discrète. Il faut préciser qu'à cette époque de l'année, les gens lisent beaucoup d'histoires terrifiantes. Bientôt, ce sera Halloween. À Édimbourg, où les fantômes attirent des foules de touristes, presque tous les habitants se font une joie de célébrer cette fête. Ils n'ont toutefois pas conscience de ce qu'elle représente ni des dangers qu'ils courent.

Pendant que nous nous observons l'un l'autre, mon téléphone se met à sonner de manière insistante. Je fais semblant de ne rien entendre pour ne pas éveiller les soupçons de Liadan, qui étudie mes poches en silence. Je fronce les sourcils.

– Tu sais, on est seuls, tu peux répondre, si tu veux, me suggère-t-elle.

Hébété, les yeux rivés sur elle, je suis pris d'angoisse. Elle a entendu la sonnerie, chose étrange car nos téléphones ne fonctionnent pas comme les leurs. À l'évidence, aucune barrière ne se dresse entre elle et moi, ce qui me préoccupe. J'affiche un air indifférent et décroche, sentant le regard de Liadan sur moi.

– Alastair, commence Jon. J'ai fait quelques recherches et je suis sûr qu'il y a quelqu'un à Crichton, même si la nouvelle n'a pas encore été ébruitée. C'est vraiment bizarre.

Liadan perçoit la voix de Jon : elle ferme à demi les paupières et pâlit. Je m'éloigne d'elle, feignant d'être détendu, et me concentre sur la vitrine qui contient les trésors littéraires du château.

– Tu sais qui c'est et pourquoi il est là ?

– Je n'en ai pas la moindre idée, mais, si tu veux, on ira voir la nuit d'Halloween.

– D'accord. Parfait. Je te rappelle. Au revoir, Jon.

– Au revoir, me répond-il, surpris par la sécheresse de mon ton.

Après avoir raccroché, immobile devant la vitrine, je m'interroge sur la conduite à adopter. J'entends alors un étrange déclic dans mon dos, mais préfère ne pas bouger, éviter un mouvement brusque qui pourrait effrayer Liadan. « Liadan », pensé-je en soupirant. Il est clair que, jusqu'à présent, elle s'est débrouillée pour survivre en ignorant tout de nous. J'aimerais bien savoir comment elle a fait. La nuit d'Halloween est dangereuse. Étant étrangère, elle n'était peut-être pas à Édimbourg l'an passé, à cette époque de l'année. C'est ce qui l'a sauvée. Je n'aimerais pas que, cette fois, le malheur s'abatte sur elle.

Je pivote et me rends compte qu'elle vrille sur moi ses yeux noirs animés d'une expression énigmatique.

– Tu te prépares à fêter Halloween comme une vraie Écossaise ? lui demandé-je en désignant son livre.

– Pas du tout, je lis juste ça pour m'informer. En plus, je ne serai pas là à la Toussaint. Je compte profiter du pont pour aller à Barcelone.

– En Espagne aussi, vous fêtez Halloween ? enchaîné-je en cachant mon soulagement.

– On rend hommage à nos morts en déposant des fleurs sur leurs tombes. On a aussi la Castañeda, qui célèbre l'arrivée de l'automne : on part en excursion dans la montagne et on mange des châtaignes et des gâteaux appelés *panellets*, m'explique-t-elle en grimaçant, comme si elle était contrariée. Mais de moins en moins de gens respectent cette tradition depuis qu'Halloween s'est exporté chez nous. Vive la mondialisation ! ironise-t-elle.

Je ne peux m'empêcher de sourire. J'aime bien cette fille. Elle est intelligente et a des jugements bien tranchés.

– C'est pareil ici, lui fais-je remarquer. Avant, les gens étaient raisonnables et ils restaient chez eux, effrayés mais à l'abri...

Je me rappelle alors que ses parents peuvent constituer un problème. Ils sont peut-être morts à Barcelone, elle va sans doute aller sur leur tombe, ce qui risque d'être aussi néfaste pour elle que si elle restait ici.

– Qui vas-tu retrouver, là-bas ? Tu m'as dit que tes parents étaient morts. Comment est-ce arrivé ? lui demandé-je en prenant une mine attristée.

Elle hausse les sourcils, étonnée. Heureusement, elle ne se formalise pas de cette question indiscrète.

– Ma tutrice, l'avocate de ma famille. Mes parents étaient anthropologues, ajoute-t-elle comme si ce détail expliquait tout. Ils survolaient l'Amazonie et leur avion s'est écrasé.

– Parfait ! lâché-je imprudemment. C'est préférable.

Je la regarde et me maudis d'avoir prononcé ces paroles désagréables.

– Non, ce n'est pas ce que je voulais dire, m'empressé-je de clarifier. Ce que j'entends par là, c'est qu'il vaut mieux ne pas voir mourir ceux qu'on aime, tu comprends ? C'est trop dur.

– Oui, tu as peut-être raison, murmure-t-elle en fronçant de nouveau les sourcils. Ça t'est arrivé ?

Mon expression doit être éloquente, car elle change aussitôt de sujet.

– Tu viens, demain ? demande-t-elle d'une voix douce.

– Bien sûr ! m'exclamé-je avec un grand sourire.

– Tu as remis tous les livres à leur place ?

– Oui, mademoiselle. Et j'ai aussi éteint le chauffage.

– Merci. À demain.

J'ai l'impression de voir briller une lueur de défi au fond de ses yeux, mais je gagne la porte sans me retourner pour en avoir le cœur net. Je ne veux pas lui donner d'autres raisons de se méfier.

CHAPITRE 5
LIADAN

Je m'assure que Alar est bel et bien parti. Il est d'une discrétion exemplaire, une qualité qu'on m'attribue à moi aussi et qui se révèle une arme excellente chez les timides. Mais le silence d'Alar est sépulcral. On peut être sûr que s'il fait du bruit, c'est qu'il veut être remarqué. On dirait que, lorsqu'il s'apprête à toucher un objet, il part à l'attaque.

Je me crispe en songeant que je divague, compte jusqu'à dix et m'empare de mon téléphone caché sous la table. J'y cherche la photo que je viens de prendre pendant qu'il regardait la vitrine des ouvrages anciens. Je pousse un gémissement en découvrant une sorte de nébuleuse. Mon cœur bat à tout rompre dans ma poitrine, je sens l'hystérie monter en moi.

– C'est à cause du reflet du flash sur le verre ! m'écrié-je d'une voix entrecoupée.

Puis je me rappelle que je n'ai pas de flash. Stupéfaite, baignant dans un étrange climat d'irréalité, je me précipite vers le rayon des sciences parallèles. Le traité de parapsychologie n'y est pas. Mon pouls s'accélère, mes tempes palpitent pendant que je cours vers la salle principale et constate la présence du fameux pavé parmi les livres de philosophie.

Haletante, je m'adosse contre l'étagère. J'essaie de me persuader que je ne suis pas folle. Alar m'a probablement menti en me disant qu'il ne comptait pas consulter cet ouvrage ridicule. Mais pour le prendre, il est forcément passé devant moi. Or, je n'ai rien remarqué. Peut-être y a-t-il un passage secret dont j'ignore l'existence.

– Je suis en train de devenir folle, murmuré-je, paniquée. Tout ça à cause de l'histoire stupide que m'a racontée Keir.

Je sors comme une flèche du couloir et me dirige vers la table du bibliothécaire sans pouvoir m'empêcher d'inspecter les lieux avec nervosité. Un des effets de la peur est de nous priver de bon sens. Si j'avais un peu de jugeote, je ne serais pas effrayée par le fantôme de la bibliothèque. Je ne m'imaginerais pas que lui et Alar ne font qu'un. Je me rendrais à la raison et me dirais que, quand bien même un spectre s'amuserait à mettre la pagaille dans les livres, je ne le verrais pas. Je ne me poserais même pas la question de savoir si les esprits existent. Une chose est sûre, c'est que le livre se déplace, qu'Alar n'apparaît pas sur la photo et que, à l'approche d'Evan, il s'est évaporé. En outre, il fait à ses côtés un froid de canard, comme dans *Sixième Sens*, ce film avec Bruce Willis...

– Mon Dieu ! m'écrié-je quand mon téléphone se met à vibrer au fond de la poche de mon pantalon.

Je pouffe ensuite, le souffle court, mal à l'aise, en constatant qu'il s'agit d'Aith.

– Salut, lui dis-je.

– Ça va ? demande-t-elle en percevant un léger tremblement dans ma voix.

– Oui, ne t'inquiète pas. Tu voulais me parler ?

– Eh bien... ce soir, Keir joue au Deacon Brodie à neuf heures et...

– Je viens ! m'exclamé-je en la coupant.

– C'est vrai ? fait-elle, étonnée de ne pas avoir à déployer toute une batterie d'arguments pour me convaincre de l'accompagner. Qu'est-ce qui t'arrive ?

Prenant une décision aussi soudaine que surprenante, je lui réponds :

– Je voudrais interroger Keir sur Alar.

– Parfait, souffle-t-elle sur le ton de la conspiration. On se retrouve devant le pub à neuf heures ?

– D'accord.

Avant de quitter la bibliothèque, j'ouvre mon tiroir et prends le vieux journal que j'y ai trouvé le premier jour. Je relis la seule page couverte de l'écriture de la jeune fille. Ses mots me troublent, je scrute avec nervosité les feuilles arrachées qui m'empêchent de connaître la suite de l'histoire et de savoir si cette fille était folle ou non. Tout à coup, ce récit ne me semble plus seulement intéressant, mais vraisemblable et inquiétant. C'est peut-être à cause de ce document que je laisse vagabonder mon imagination au point de devenir moi aussi paranoïaque. J'ai trop tendance à compatir aux malheurs d'autrui. Décidée à recueillir d'autres avis, je glisse le mystérieux journal dans mon sac à dos pour le montrer dès ce soir à Aith. En lisant ces phrases, elle rira, se moquera de moi, et je serai soulagée par cette réaction légère et spontanée.

*

Je parcours presque sans m'en rendre compte le chemin qui me sépare de la maison. Arrivée chez moi, je mets une longue jupe et un débardeur choisis au hasard, peu soucieuse de mon apparence. Je chausse des bottes hautes et ressors en laissant à la domestique un message à l'intention de Malcolm : je vais voir Aith et rentrerai avec Keir. Il les connaît tous deux et les apprécie. Ainsi, il sera rassuré.

Je traverse les Meadows au pas de course, regardant les gens d'un air méfiant. J'ai peur. Consciente de mon attitude, j'essaie de me ressaisir afin de ne pas ressembler à l'héroïne de *L'Exorciste* en arrivant devant le pub. Pour me rassurer, je songe que, si je suis en train de sombrer dans la folie, cela se soigne maintenant très bien. Je traverse le pont George IV, laissant derrière moi l'entrée pentue et sinueuse de Candlemaker Row, où, sur une petite place, s'élève un monument émouvant et absurde, la statue de Bobby, petit terrier aimé de tous les habitants d'Édimbourg. Après la disparition de son maître, il resta sur sa tombe jusqu'à sa propre mort, en 1872, quatorze ans plus tard. Touchée par la constance et la loyauté de Bobby, une baronne fit ériger cette sculpture.

Un peu plus loin se trouve le fameux restaurant The Eating House. Devant la porte est couché un vrai chien sans collier au pelage sombre, qui attend son dîner. Il gambade autour de moi et je me penche pour le caresser. Je le vois souvent, nous sommes amis.

– Bonjour, petit, lui dis-je en espagnol en lui grattant la tête.

Lorsque je me relève pour lisser ma jupe sans doute couverte de poils, je croise une dame qui me regarde bizarrement. Je la toise avec hauteur, comme si je ne comprenais pas ce qu'il y a de mal à caresser un chien. Le manque de sensibilité me choque toujours. Je me hâte de m'engager dans le Royal Mile, qui, comme son nom l'indique, est une rue pavée longue d'un mile qui relie le château d'Édimbourg au palais Holyrood. D'après la légende, un passage secret serait situé sous cette voie et permettrait d'accéder directement au château. Qui sait? C'est peut-être vrai. Je suis tellement sur les nerfs que je suis prête à croire n'importe quoi.

Le Deacon Brodie est un endroit singulier portant le nom d'un homme qui, au début du XVIIIe siècle, était ébéniste de jour et voleur de nuit. Il fut pendu non loin du pub, sur un échafaud qu'il avait lui-même fabriqué. Cet homme qui menait une double vie inspira à Robert Louis Stevenson, originaire d'Édimbourg, son célèbre personnage du docteur Jekyll et Mr. Hyde.

Comme je suis en retard et que je ne vois personne depuis l'entrée, je suppose qu'Aith nous a gardé une table à l'intérieur. Je pousse la porte et passe sans la lire devant l'histoire du sournois M. Brodie, écrite sur les lambris. Je n'accorde pas davantage d'attention à sa silhouette de cire qui trône sous l'escalier. Je n'aime pas ces effigies, elles me dégoûtent.

J'arrive près de la scène à l'instant précis où les lumières s'éteignent. Je mets un moment avant d'apercevoir Aith dans le public et m'assois à côté d'elle.

– J'ai cru que tu ne viendrais plus, me dit-elle, inquiète. J'ai failli t'appeler.

– Désolée, mais je devais me changer.

Je lui demande de poser ma veste et mon sac près des siens, sur une chaise libre.

– Ah, Aith ! m'exclamé-je. Prends le cahier qui est dans mon sac. J'aimerais bien que tu y jettes un œil.

Curieuse, elle s'exécute et baisse la tête pour chercher dans mon bric-à-brac, à la faible lueur des lampes à gaz. Elle me rappelle Mary Poppins quand elle essaie de trouver un mètre ruban.

– Je ne vois aucun cahier, déclare-t-elle un instant plus tard.

– J'ai dû l'oublier à la maison, réponds-je, stupéfaite.

J'étais sûre de l'avoir emporté. J'ai envie de reprendre mon sac pour vérifier moi-même, mais j'y renonce pour ne pas vexer mon amie. Le concert commence, j'oublie tout le reste en écoutant une chanson que j'adore, une version de *Shy*, de Sonata Arctica, dont le chanteur me fait frémir. Je dois cependant reconnaître que Keir l'interprète merveilleusement lui aussi. Je m'évade dans la musique et me détends. Lorsque le groupe a fini de jouer et que Keir nous rejoint à notre table, je n'ai plus la moindre envie de lui poser des questions au sujet d'Alar ou de parler de phénomènes occultes.

Aith et moi lisons les paroles de la chanson que Keir vient d'écrire. En tant que critiques musicales, nous ne lui sommes pas d'une grande utilité parce que nous aimons tout ce qu'il fait. Il répond à notre soutien enthousiaste en nous adressant un sourire magnifique et je me sens rougir de la tête aux pieds, heureuse que la semi-obscurité ne trahisse pas mon immense timidité.

Keir me raccompagne ensuite chez moi. Je lui en suis reconnaissante parce que le type effrayant déguisé en soldat traîne de nouveau dans Bruntsfield Park. De nature observatrice, j'ai une bonne vision périphérique et il me suffit de lorgner du coin de l'œil pour l'apercevoir. Il est là, un peu plus loin. J'évite de le regarder, sachant que, parfois, les malades mentaux n'attendent que ça pour donner libre cours à leur folie. Je discute avec Keir du devoir d'histoire que nous a donné notre professeur jusqu'à ce qu'on arrive devant la maison de Malcolm. En attendant le gardien, je cherche mes clés. Il est très tard.

Je fouille dans mon sac et me pétrifie lorsque ma main frôle le bord du journal. Il est là, il n'a pas bougé depuis tout à l'heure. Je me souviens pourtant des efforts d'Aith pour le trouver au Deacon Brodie et me sens à nouveau mal. J'ai envie d'accuser Aith, mais je la sais incapable de me jouer un mauvais tour.

– Ça va, Lia ? me demande Keir, inquiet.

Perdue dans mes pensées saugrenues, j'ai oublié sa présence.

– Oui, bien sûr, murmuré-je d'un air qui se veut convaincant.

– Bonsoir, mademoiselle Montblanc.

La voix nasale du gardien dans l'Interphone me fait sursauter.

– Bonsoir, dis-je en poussant la porte dès que le déclic m'indique qu'elle est déverrouillée.

Puis je me tourne vers Keir et lui glisse :

– Tu sais quoi ? Un étudiant en histoire vient parfois consulter les archives de la bibliothèque du lycée. Tu l'as sûrement déjà vu.

– Comment s'appelle-t-il ?

– Alar, mais je ne connais pas son nom de famille. Il est grand, il a des yeux très clairs et des cheveux auburn.

– Ça ne me dit rien, répond Keir en haussant les sourcils. Je croyais pourtant connaître tout le monde, au moins de vue. D'après la description que tu viens de me faire, ce type ne doit pas passer inaperçu.

Je blêmis et m'empresse de dire bonsoir à Keir pour ne pas trahir mon émotion, mais en traversant le jardin, je me ravise. Lorsque nous avions évoqué le fantôme du lac, Keir avait paru angoissé. Je sais à présent que ce n'était pas qu'une impression.

– Keir !

Il se retourne, surpris.

– Tu crois vraiment aux fantômes ?

Il se garde de rire et de se moquer, arrange ses boucles blondes, baisse la tête avant de plonger ses yeux dans les miens.

– Oui, répond-il d'un air grave au bout d'un moment. Un jour, je t'expliquerai pourquoi, ajoute-t-il en souriant, comme pour s'excuser.

J'accueille cette promesse avec joie. Je ne suis sans doute pas la seule à être folle : apparemment, Keir est comme moi. Le malheur des uns fait le bonheur des autres.

CHAPITRE 6
ALASTAIR

Aujourd'hui, en me réveillant, je constate que je suis d'excellente humeur. Je sais que cette impression agréable est due à l'approche d'Halloween, la nuit où nous retrouvons un peu de liberté, et au soulagement que j'éprouve après m'être confié à Caitlin. Je me réjouis aussi d'avoir pris certaines décisions, même si elles sont encore confuses et complexes. Je considère ce qui m'arrive avec le plus grand calme et réprime la colère qui, parfois, monte en moi. Je me sens tellement bien que je suis déçu qu'on soit jeudi, le dernier jour de la semaine où je peux voir Liadan.

En fin d'après-midi, je fais ma promenade habituelle, observe les gens qui s'attardent dans les salles de cours ou vont étudier à la bibliothèque. Ce n'est qu'après m'être acquitté de cette routine et avoir bien observé la situation que je m'autorise à entrer. J'adresse un sourire sincère à Liadan quand nos regards se croisent, mais remarque chez elle une certaine réticence. Sa mine abattue me déplaît. À l'image de nombreuses filles d'aujourd'hui, pour qui la vie est facile et ne pose pas de problèmes, Liadan est délicate, et je la sens fragile. Qu'elle soit mal en point me désole, mais je sais que je ne peux rien faire pour elle et me sens inutile.

– Tu vas bien ? lui demandé-je en m'approchant.

Je m'assois au bord de la table d'un air insouciant, comme le ferait n'importe quel autre garçon.

– J'ai la migraine, m'annonce-t-elle quelques secondes plus tard.

Compatissant, je hoche la tête. Elle m'observe, troublée, ses yeux d'un noir intense empreints d'une expression indescriptible. Je suis inquiet. J'ignorais qu'une migraine pouvait être aussi douloureuse.

– Tu devrais mettre quelque chose de froid sur ton front, lui conseillé-je (en matière de coups et de douleurs, je m'y connais).

– Je ne vois pas comment, à moins de pencher la tête par la fenêtre, murmure-t-elle.

Il m'est pénible de la voir souffrir. Son idée de fenêtre m'en donne une autre, bien qu'elle soit un peu risquée. Je me déconcentre, gagné par la nervosité. Liadan se redresse, parcourue d'un frisson.

– Il fait de nouveau froid ici, déclare-t-elle dans un filet de voix.

– L'autre jour, tu m'as expliqué que les murs des vieux châteaux laissent passer les courants d'air.

– C'est vrai...

Elle semble désespérée, son regard est fuyant et méfiant.

– Tu es sûre que ça va aller ? insisté-je, écartant une mèche rousse et claire de son front et m'inclinant pour mieux la voir.

– Oui, oui. J'ai juste l'impression de devenir folle.

À l'évidence, elle regrette d'avoir prononcé ces mots et paraît revenir à la réalité.

– Je vais bien, ne t'en fais pas pour moi, reprend-elle en souriant. Ne va surtout pas t'imaginer que ce que je dis est vrai. Parfois, la fatigue me fait perdre les pédales.

J'entends des pas dans le couloir et m'empresse de prétexter du travail pour filer aux archives. Quand Liadan croit que je me suis éloigné, je rebrousse chemin et l'épie.

Elle s'efforce d'être agréable avec le lycéen qui vient d'entrer, le même que l'autre soir. Il bavarde avec elle, la remercie de lui avoir conseillé la biographie de Verlaine, grâce à laquelle il a pu faire son devoir de littérature. Quand il lui demande quel auteur elle a choisi, elle lui explique qu'elle compte travailler sur Cervantès, qui a connu une triste fin après avoir écrit *Don Quichotte*, un livre de génie. Elle prend ensuite un petit cahier ancien, le pose sur la table et le pousse distraitement jusqu'au bord, comme si elle caressait le bois. Il finit par tomber aux pieds du garçon avec un bruit sourd. Evan ne cille pas plus qu'il ne fait mine de le ramasser, à croire qu'il n'a rien remarqué.

« C'est incroyable », m'exclamé-je intérieurement.

Les lumières vacillent. Irrité, j'ai envie d'aller réprimander ce jeune homme pour son manque de courtoisie, puis je me ravise afin de pouvoir continuer à espionner. En outre, le fait que je surgisse inopinément n'améliorera pas l'humeur de Liadan. Je préfère donc renoncer à cet éclat et être aimable avec elle pour compenser la muflerie d'Evan. Je ravale la colère qui s'est emparée de moi et gagne les archives en secouant la tête. La politesse a bien changé, à moins qu'elle n'ait tout simplement disparu de ce monde.

*

Il me faut encore une fois aller prendre le traité de parapsychologie au mauvais endroit, après quoi je vais chercher les documents qui m'intéressent et m'apprête à les étudier. Étonné, je constate que Liadan vient d'apparaître dans l'encadrement de la porte. En général, le temps passe vite, mais pas à ce point. Son regard absent et soucieux me préoccupe, puis je décèle à nouveau chez elle une expression de défi. Si les miens ont le défaut d'être brusques et soupe au lait, je me rends compte qu'il en est de même pour les *dunedains.* Je la fixe avec crainte en la voyant sortir son téléphone de sa poche et le tendre dans ma direction. Quand j'entends le déclic de l'appareil photo, je sens mon visage s'assombrir et la température ambiante baisser. Je maudis la technologie moderne.

Plus résignée qu'effrayée, elle observe l'écran, tourne l'appareil vers moi et me montre le résultat. Je sais d'avance ce que je vais découvrir : rien. À l'endroit où je me tiens, il n'y a qu'une sorte de nuage non pas blanc, mais gris parce que je suis furieux. J'essaie de me calmer face au reflet de mon courroux. Liadan s'est servie de ses propres armes pour me livrer une bataille qu'elle a gagnée. Pourtant, elle paraît aussi découragée que moi et laisse choir son bras le long de son corps.

– Je suis folle, affirme-t-elle. Schizophrène.

Je me contente de l'écouter déraisonner, surpris par sa réaction.

– Les livres changent de place, tu n'existes pas, il n'y a rien sur cette photo...

Elle lance sur la table le cahier qu'elle a fait tomber quelques instants auparavant. Je reconnais alors le vieux journal. À présent, je comprends pourquoi le *dunedain* ne l'a pas remarqué. Ce cahier est invisible à ses yeux.

– Où l'as-tu trouvé ? lui demandé-je, agacé au plus haut point.

– Et maintenant je dois expliquer une hallucination à une autre hallucination. Tu n'existes pas, Alar, lâche-t-elle d'un ton calme, convaincue de me révéler quelque chose. C'est dommage, mais, dès que j'aurai commencé à prendre des antidépresseurs ou qu'on m'aura internée dans un hôpital psychiatrique, tu disparaîtras de ma vie.

Ma colère s'évanouit tant ma compassion est forte. Ses pâles cheveux roux brillent sous les néons, mais ses yeux opaques et sombres me renvoient l'image d'un irrépressible chagrin. Cette fille remue quelque chose en moi. J'hésite entre deux possibilités puis, une fois décidé, je suis fier de l'erreur que je vais bientôt commettre.

– Tu n'es ni folle ni paranoïaque, déclaré-je avec douceur. Et j'existe vraiment.

– C'est faux.

– Bien sûr que non !

Elle cligne des yeux et semble moins distante. Sur son visage, je lis toute la fureur qu'elle cherche à contenir. Je ne comprends pas ses réactions. D'un geste frénétique, elle ressort son téléphone de sa poche et le place devant moi. La nébuleuse est toujours là. Elle presse un bouton et me montre une autre photo, prise lorsque j'étais devant la vitrine. J'en déduis qu'elle a des soupçons depuis quelque temps. Caitlin avait raison.

– Comment expliques-tu ça ? siffle-t-elle. Et ce maudit journal ? Evan ne l'a pas vu, pourtant je l'ai fait tomber à ses pieds. Hier, Aith a cherché ce cahier dans mon sac et elle n'a rien trouvé ! Tout à l'heure, j'ai demandé à Evan d'aller jeter un œil aux archives et ta présence lui a échappé. Sans parler de ce fichu traité qui change de place. Quant à Keir, il m'a dit qu'il ne te connaissait pas.

« Eh bien... », songé-je, partagé comme je le suis rarement entre la colère et l'amusement. Je savais que son ami étudiant pouvait se révéler dangereux, mais je n'avais pas prévu les soucis que risquaient de me causer le cahier et l'ouvrage de parapsychologie. Liadan est plus perspicace que je ne l'aurais cru.

– Je peux apporter des réponses à toutes tes questions, maugréé-je, résolu à ne pas sortir de mes gonds. Si je te dis par exemple que le journal existe, mais que la plupart des gens ne le voient pas...

– Dans ce cas, je suis heureuse de constater que je ne suis pas anormale.

– Tu n'es pas folle, tu n'as pas d'hallucinations. Ce cahier est une apparition.

Malheureusement, à cause du scepticisme de la science, le mot « fantôme » a perdu de sa force au fil des siècles. Je lui préfère donc le terme « apparition ». Intelligente, Liadan trouve vite le synonyme et éclate de rire, pensant que c'est sans doute une blague.

– C'est ça ! Et toi aussi, tu es un fantôme ! déclare-t-elle d'un ton railleur.

– Tout à fait. Je vais d'ailleurs te le prouver.

Je la prends par la main et l'entraîne derrière moi avant de franchir la porte, la voie conseillée par les règles élémentaires de la physique. Ignorant ses plaintes sur le froid qui m'environne, je la fais sortir de la bibliothèque et me dirige au deuxième étage, d'où proviennent des bruits de voix. Nous croisons une dame de service. Un casque sur les oreilles, elle fredonne avec insouciance.

– Attends-moi ici, dis-je à Liadan en la laissant au bout du corridor.

Je me dirige vers la femme. J'ai honte de ce que je m'apprête à faire, mais je n'ai pas trouvé d'autre moyen pour convaincre Liadan d'éviter de se bourrer de médicaments. Je me plante devant la femme de ménage, qui lave le sol tranquillement, et pose une main sur son épaule. Elle tremble, se raidit, regarde derrière elle sans rien voir. Les yeux écarquillés, abasourdie, elle est ensuite prise de panique. Tendue, elle s'empare de son balai et du seau d'eau savonneuse et part aussi vite que possible, passant à travers moi, puis se précipite en gémissant dans le grand escalier.

Je regarde Liadan en soupirant. Elle a les yeux grands ouverts et devient encore plus pâle qu'elle ne l'est déjà. On voit bien qu'elle a pris toute la mesure de la situation. Elle se détourne de mon corps en apparence solide, recule en silence, pivote brusquement et s'éloigne à grands pas. Je me doutais qu'elle risquait d'avoir ce type de réaction. Il vaut mieux que je la rattrape si je ne veux pas qu'elle fasse un scandale.

Comme j'ai assisté à sa lente et coûteuse édification, je connais bien le château. Il m'est donc facile d'intercepter Liadan avant qu'elle n'atteigne le grand escalier. Je pénètre dans un bureau et une salle de cours, tourne à droite, traverse un autre mur et surgis à l'endroit voulu au moment où elle va dévaler les marches. Ses yeux s'emplissent à nouveau de terreur lorsqu'elle remarque ma présence.

– Non ! murmure-t-elle en rebroussant chemin.

Au moins, elle ne perd pas son temps à crier, ce qui aurait alerté tout le monde. Je la maudis et prends beaucoup plus de plaisir à cette poursuite que je ne le souhaiterais, repasse par le bureau et m'engage sur la droite, persuadé qu'elle veut gagner l'escalier en colimaçon de l'aile est. Cette fois, il est préférable qu'elle me voie arriver.

Après avoir traversé une autre salle et le laboratoire de chimie, je m'immobilise à l'intérieur d'une des colonnes du couloir en attendant qu'elle vienne dans ma direction. Si elle n'était pas aussi affolée, elle se serait rendu compte qu'à l'intérieur du château, elle peut difficilement m'échapper.

Je l'entends approcher et me sens comme au bon vieux temps, lorsque nous nous guettions les uns les autres et que nous nous livrions des combats constants et désordonnés. Je me prépare à stopper sa course. Sa respiration est hachée, ses pas résonnent dans le corridor. Elle passe près de moi, haletante, tournant la tête de temps à autre afin de s'assurer que je ne la suis pas. Pauvre Liadan. Calculant mon coup pour être moins violent qu'autrefois, à l'époque où je défendais ma vie, je la frappe à la tempe et la rattrape avant qu'elle ne tombe. La mettre hors d'état d'agir est un jeu d'enfant.

Glacé à son contact, je porte son corps évanoui dans mes bras et me demande ce que je vais faire de cette jeune fille. En étudiant son visage blême, j'envisage à nouveau deux possibilités. « Elle doit mourir », a dit Caitlin. Je sais qu'elle a raison. Liadan représente un danger. Pour moi, pour *les miens* et pour elle-même. Elle se croit folle, pourtant je ne suis pas son pire ennemi. La solution la plus sensée et la moins cruelle serait donc de l'achever en simulant une mort accidentelle. Elle n'a pas de famille, peu de gens la regretteront.

S'il faut qu'elle meure, je préfère qu'elle ne se réveille pas. Ainsi, elle connaîtra une fin sans souffrances. Hésitant, je l'observe et l'écoute respirer.

CHAPITRE 7
LIADAN

J'ai une forte migraine, je suis perdue, j'ignore où je me trouve. Je ne comprends pas pourquoi ces pensées me traversent la tête. Je cligne les paupières. La lumière du plafond m'éblouit un instant, faisant douloureusement palpiter mes paupières. Au moins, je sais que je suis allongée par terre, mais j'ignore pourquoi. Quand les détails de ce qui s'est passé se précisent, je vois quelqu'un penché au-dessus de moi. On est venu me porter secours. À mesure que mon cerveau traite l'information visuelle qu'il reçoit, je reconnais les cheveux auburn et les yeux transparents d'Alar. Dans un réflexe qui m'échappe, je le repousse.

– Du calme, ne bouge pas.

Il a l'air inquiet.

– Comment suis-je tombée ? lui demandé-je d'un ton méfiant, curieuse, malgré mon trouble, de savoir ce qui m'est arrivé.

– Je l'ignore, je n'ai rien vu. J'ai juste entendu du bruit et j'ai accouru. Je t'ai trouvée là, évanouie. Tu as dû tomber de l'escabeau et tu as pris un coup sur la tête.

J'inspecte les alentours. Je suis à côté d'un des rayons de la section « Histoire », et l'escabeau dont je me sers pour accéder aux étagères supérieures est renversé non loin de là. Consternée, je songe que je n'ai jamais été maladroite et n'ai pas pour habitude de me donner en spectacle.

Dans un sursaut de dignité, j'essaie de me redresser.

– Reste encore un peu allongée, me conseille Alar, qui semble soulagé que je ne sois pas paralysée. Tu m'as flanqué une sacrée frousse.

Je le regarde fixement, étonnée, puis me rappelle pourquoi je réagis ainsi et m'empourpre. Mon Dieu ! Je ne suis même pas sortie de la bibliothèque et n'ai sans doute pas parlé avec Alar depuis l'arrivée d'Evan !

– Si je te disais que j'ai fait un drôle de rêve... Ça va, je peux me lever.

Il me soutient pour que mes jambes ne se dérobent pas. Son contact me rassure : ses mains sont tièdes et robustes, son corps n'a rien d'éthéré. En observant Alar qui s'agenouille et remet l'escabeau en place, je me jure de ne plus toucher à un livre fantastique tant que je serai aussi influençable. J'ai honte de ce rêve stupide.

Pour couronner le tout, Alar a dû deviner mon envie de disparaître sous terre, car il m'adresse un sourire compatissant.

– Ne te fais pas de souci, ça peut arriver à n'importe qui.

Seulement, ça m'est arrivé à moi. Or, j'ai une peur bleue du ridicule. Quand Alar prend mon menton dans sa main pour m'obliger à relever la tête, je sursaute.

– Tu es sûre que ça va ? Je crois qu'un bon bol d'air te ferait du bien. Il est encore tôt, pourquoi ne viens-tu pas te promener un peu dans la forêt ?

Je reste perplexe. Je me sens flattée et sa proposition me tente, mais je redoute de sortir seule avec lui. Si jamais je lâche une idiotie ou, pire, si je suis à court d'idées, incapable de dire un mot, il me trouvera assommante.

– Tu en as besoin, décrète Alar, qui pense sans doute que je ne veux pas laisser la bibliothèque sans surveillance. Ne t'inquiète pas, je suis sûr que personne ne viendra.

Il me fait signe de le suivre dans la salle principale, puis prend mon manteau d'un geste solennel et me le tend en souriant. Je l'enfile en espérant que les muses vont me rendre spirituelle.

Nous descendons au rez-de-chaussée en silence. Alar m'arrête alors que je suis sur le point de franchir la grande porte. Il pose un doigt sur ses lèvres et m'indique un autre chemin, à travers les anciennes remises du château, qui servent aujourd'hui à entreposer les objets au rebut du lycée. Il force un peu sur la poignée et nous nous retrouvons dans la réserve de la tour du fond.

– Qu'est-ce que tu fais ? lui demandé-je avec nervosité.

– Je te montre un raccourci.

Il se dirige droit vers l'escalier en colimaçon de la vieille tour et, au lieu de monter, nous gagnons le sous-sol. Alar me précède de crainte que je ne glisse sur les marches de pierre abruptes. C'est très chevaleresque de sa part, mais un peu suicidaire aussi. Nous atteignons un petit couloir sombre et caverneux et, peu après, sortons par une poterne débouchant sur le jardin arrière du château, le lac et la forêt.

– Eh bien ! m'exclamé-je, stupéfaite.

– Ce passage est plutôt lugubre, mais très utile.

– Comment l'as-tu découvert ? Tu as été au lycée ici ? lâché-je d'un air suspicieux pendant que nous traversons le pont au-dessus du lac.

– Non, mais autrefois, quand mon grand-père venait étudier les archives, je l'accompagnais. Comme je m'embêtais, je furetais un peu partout.

– D'accord...

C'est une explication plausible. Je me dis qu'il faut absolument que je cesse d'être aussi paranoïaque.

Nous cheminons sans parler tandis que le ciel commence à s'assombrir. Je ne me suis encore jamais autant éloignée du jardin. À présent nous nous enfonçons dans le bois – petit mais touffu – qui entoure le château. Sous nos pieds s'étend un sentier humide à peine visible le long duquel Alar marche avec assurance. C'est merveilleux, j'ai toujours eu envie d'explorer cet endroit, mais l'occasion ne s'en était encore jamais présentée. Je suis ravie d'être dans un lieu magnifique, en aussi bonne compagnie.

Je soupire. J'aimerais tellement lancer un sujet de conversation intéressant...

– Tu n'es pas très bavarde, me fait observer Alar.

– Je sais, reconnais-je, mortifiée. Je suis désolée.

– Tu n'as aucune raison de l'être ! s'écrie-t-il en plongeant ses yeux dans les miens. Que tu sois avec moi me suffit.

Il me sourit. Décidément, ce garçon me plaît. Le froid s'intensifie et je relève le col de mon manteau pour me protéger le cou, même si, cette fois, je me moque d'être gelée.

Arrivés à une bifurcation, nous marchons droit devant nous, ignorant un autre sentier qui rejoint le château. Quelle chance qu'Alar ne se soit pas encore lassé d'une fille aussi ennuyeuse que moi ! Quelques instants plus tard, nous atteignons une clairière entourée d'une végétation épaisse où se dressent quatre petits monticules. Je me rends compte que la pierre est recouverte d'herbe.

– Ce sont des cairns ! m'exclamé-je.

Ces tombes anciennes datent d'avant les Celtes. Privées de toit, elles sont à ciel ouvert. Elles ont dû faire l'objet de pillages par le passé.

– Tu les as repérées en venant ici avec ton grand-père ? lui demandé-je d'une voix vibrante d'émotion à la pensée que Malcolm ne m'a jamais parlé de cet endroit. Tu te promènes souvent dans ce bois ?

– Oui. Peu de gens le connaissent parce que les administrateurs du domaine préfèrent ne pas en révéler l'existence. Ils ne veulent pas qu'on abîme ces tombeaux plus qu'ils ne le sont déjà.

Alar paraît absent. On dirait qu'il n'a pas conscience de m'avoir conduite jusque-là, qu'il a atteint ce lieu dans un état second. Je ne cherche pas à en apprendre davantage. J'espère qu'il me fait confiance et sait que je n'amènerai pas de vandales sur ces mystérieux et magnifiques vestiges de l'histoire. Je me promène entre les monticules, les étudie dans la lumière tamisée du soir. J'entre dans chaque tombe: érodées, elles m'arrivent à l'épaule. Puis je m'en éloigne pour étudier des pierres tombales qui s'élèvent non loin de là.

– Celles-ci sont plus récentes, déclaré-je.

Je m'approche pour mieux les voir. Elles portent des inscriptions.

– Des runes oghamiques[1]..., murmuré-je. Ce sont des tombes celtiques. Toi qui étudies l'histoire et qui es écossais, tu peux traduire ces textes?

– Là, c'est un nom, souffle Alar d'un ton grave et évasif.

Je sursaute. Il se tient juste derrière moi. Je pivote et remarque son air à la fois véhément, soucieux, mal à l'aise et coupable. On dirait un chat qu'on surprend en train de faire une bêtise. Il regrette peut-être de m'avoir fait découvrir ce lieu, mais moi, je suis ravie, je me sens en communion avec lui et le monde.

– Je te promets que je ne dirai à personne que je suis venue ici. Surtout pas à Malcolm, le rassuré-je en regardant autour de moi sans pouvoir réprimer un sourire. J'adore cet endroit!

Il se détend et me rend mon sourire.

– Tant mieux, mais maintenant il faut rentrer, il est tard et le concierge doit se demander où tu es. Si tu veux, on reviendra un autre jour.

---

1. Écriture la plus ancienne connue chez les Celtes *(NdT)*.

– Ce serait génial, merci, lui dis-je.

J'espère qu'il tiendra sa promesse.

Parvenus à la bifurcation, nous regagnons le château par l'autre chemin. Rêveuse, je marche en silence, perdue dans des univers imaginaires peuplés de preux chevaliers et de vieilles tombes.

Alar me tire de ma rêverie quand nous approchons du Royal Dunedain.

– Pourquoi une fille comme toi passe-t-elle ses journées dans une bibliothèque déserte ?

– Elle n'est pas déserte, puisque tu viens y travailler.

– C'est vrai. Mais ils pourraient engager un bibliothécaire.

– Je ne sais pas, chuchoté-je en haussant les épaules. Ça me plaît et, pour être franche, j'apprécie plus la compagnie des livres que celle des hommes.

Je me maudis d'avoir dit cette phrase au moment même où je la prononce.

– Il n'y a rien de mal à ça. Après tout, les livres ont été écrits par des personnes, souffle Alar.

À croire qu'il lit la panique sur mon visage, comme si celui-ci était transparent.

Nous nous arrêtons devant la porte du château.

– Je monterais bien avec toi pour t'aider à ranger la salle, mais il est tard et je suis pressé.

Il imprime une légère pression sur mon bras en guise d'au revoir et ajoute :

– Soigne-toi et évite de monter sur l'escabeau.

– Je ne risque pas ! m'écrié-je, pleine d'entrain.

– On se voit lundi.

– Oui, lundi ! répété-je, laissant éclater une joie que j'aurais souhaitée moins évidente.

*

Je me réjouis que le concierge ne soit pas là. Je n'ai aucune envie de lui expliquer ma présence hors du château alors qu'il ne m'a pas vue sortir. Je me mets soudain à penser que je ne suis pas la seule dans ce cas et ma bonne humeur s'envole à mesure que je marche. Je sais pourquoi. Certaines choses ne collent pas. J'oublie le charme des instants que je viens de passer pour redevenir méfiante. Les souvenirs affluent : en progressant dans les salles sombres et désertes du lycée, j'ai la certitude que je ne suis pas tombée de l'escabeau.

Je m'immobilise dans l'escalier et prends mon téléphone pour regarder les photos que j'ai faites d'Alar. Il est éteint. Pour le rallumer, je presse le bouton si fort que je me meurtris le doigt. Je retire la batterie et la carte SIM et les remets en place, puis fais un nouvel essai, sans plus de succès. Il s'est peut-être cassé lors de ma chute.

– Super ! murmuré-je.

J'ignore si je vais trouver quelqu'un en Écosse pour réparer cet appareil espagnol. En même temps, je songe que ce n'est peut-être pas un hasard. Je chasse aussitôt cette pensée et pénètre dans la bibliothèque.

Je cherche en vain le journal, qui n'est ni dans le tiroir ni dans mon sac à dos. J'inspecte les archives, puis l'étagère sur laquelle je l'ai découvert le premier jour, au rayon des biographies, mais je ne vois pas le cahier de la jeune inconnue. Si Alar l'a subtilisé pendant que j'étais inconsciente, il me doit des explications. Je suis pétrifiée.

« Où l'as-tu trouvé ? » s'est-il écrié dans mon rêve quand j'ai lancé le journal sur la table en l'accusant d'être un spectre.

Mais... ai-je vraiment rêvé ?

CHAPITRE 8
ALASTAIR

Je reviens sur mes pas dès que Liadan a disparu à l'intérieur des murs, obligé de passer inaperçu bien que cela me semble peu naturel. Quand le château est devenu un lycée, je me suis résigné à garder le silence. Mon existence dépendait de ma discrétion, car, si j'avais essayé de chasser les *dunedains*, ils auraient fait de même avec moi. Des décennies ont passé depuis la dernière fois où j'ai eu peur qu'ils me voient. Je frémis encore rien que d'y songer. Je ne comprends pas cette situation et la contrôle encore moins. Je m'arrête au coin de l'édifice et attends que toutes les lumières de la bibliothèque s'éteignent pour être sûr que Liadan ne verra pas mon ombre par les fenêtres de la salle de lecture. Elle tarde à sortir. J'espère que son mal de tête s'est estompé. Je regrette de l'avoir frappée.

Tout en patientant, j'analyse la situation. Je ne comprends pas ce qui m'a poussé à l'emmener au cimetière.

C'est peut-être la force de l'habitude. Mes routines sont aussi obsessionnelles qu'inévitables : quand je me promène dans le jardin, je finis toujours par atteindre la forêt. Malheureusement, une idée étrange m'a traversé l'esprit et j'ai eu envie d'entraîner Liadan de l'autre côté. Je ne l'ai pas tuée, mais tout à coup, j'ai ressenti le désir de la prendre avec moi, comme un téléphone, un livre ou un vêtement. Une part déplaisante de ma nature vient de se dévoiler. Je n'aimerais pas que cela ait des conséquences sur Liadan.

Je soupire en voyant les fenêtres noires et m'éloigne en direction du lac, où Caitlin m'attend. Voilà pourquoi je me suis engagé sur le sentier nord en rentrant du cimetière. Je craignais que Liadan ne voie Caitlin.

– Tu avais raison, lui annoncé-je en m'asseyant à côté d'elle devant l'étendue d'eau calme qui fut un jour sa tombe et est désormais son foyer. Elle a des soupçons. C'est une fille intelligente, et j'ai peur que ça ne se termine mal. Mais je l'ai bernée, je pense avoir endormi sa méfiance. L'avantage de cette époque, c'est que les gens considèrent avec scepticisme les choses dont ils ne peuvent envisager l'existence.

Caitlin m'observe derrière les mèches humides qui masquent son visage.

– Alastair, tu t'es entiché d'elle ! me lance-t-elle en gémissant.

– Oui, je suppose, avoué-je, car j'ai déjà vu ce type d'obsession chez les autres. Mais ça fait si longtemps que je n'ai pas parlé à l'un d'eux, Caitlin. Je suis curieux, et tu sais bien que les occasions sont rares.

Caitlin soupire. Elle ne peut s'éloigner du lac de plus de quelques mètres et comprend mieux que quiconque le besoin d'avoir une présence à ses côtés. Mais elle ne perd pas pour autant le sens des réalités.

– Ça va finir en drame, déclare-t-elle. C'est inévitable. Elle est plus éloignée de toi que tu ne l'imagines. Si elle découvre la vérité, elle est capable de se dresser contre nous et, grâce aux progrès technologiques, elle parviendra peut-être à nous faire disparaître, ajoute-t-elle en frémissant, les yeux rivés sur le lac. Je trouve bizarre qu'elle te considère comme un garçon normal, qu'elle ne se soit aperçue de rien...

– Moi aussi, j'ai peur. Près d'elle, je suis nerveux. Elle est tellement...

J'essaie de trouver les mots adéquats pour expliquer à Caitlin que j'admire Liadan parce qu'elle réussit à communiquer avec moi alors que c'est si difficile.

– ... Je ne sais pas... Tellement étrange...

– Je me demande ce qu'elle a de spécial, murmure Caitlin, pétrifiée. Tu crois qu'elle peut me voir, moi aussi ? Ou d'autres ?

– Je l'ignore et je n'ai pas envie de le vérifier. Moins elle en saura sur nous, plus elle aura de chances de survivre. Elle doit rester en vie pour retourner dans son pays.

À peine ai-je formulé cette phrase que je songe qu'il serait dommage qu'elle parte. J'en viendrais presque à préférer qu'elle découvre la vérité, quitte à ce qu'elle meure. Ainsi, elle resterait à Édimbourg. Je suis parcouru de frissons : mes pensées me surprennent et m'atterrent.

Je secoue la tête pour chasser ces idées qui ne me ressemblent pas.

– Alar ? chuchote Caitlin, dont le souffle ténu est comme une buée hivernale.

Elle a moins de scrupules que moi et devine ce qui me hante. Il y a seulement deux ans, elle a tenté quelque chose de similaire.

– Tout va bien, dis-je pour la rassurer.

Intérieurement, je me promets de ne pas passer à l'acte.

*

Vendredi matin, je tiens à vérifier si Liadan est toujours persuadée d'avoir perdu la raison. Elle arrive au lycée d'un air distrait, les écouteurs de son iPod dans les oreilles, et passe au milieu des élèves comme une apparition. Elle a le don incroyable de ne pas voir les autres et de ne pas se faire voir d'eux. À l'image d'un fantôme. Au premier étage, Evan se met en travers de son chemin, sachant sans doute que c'est la seule manière d'attirer son attention. En levant la tête, Liadan rougit, mais accepte avec joie le gobelet de chocolat chaud qu'il lui tend. Aujourd'hui, elle semble heureuse et pleine d'assurance. Je suis soulagé de déceler une lueur de gaieté dans ses yeux sombres. J'espère que notre promenade y est pour quelque chose.

Après avoir discuté avec Evan, Liadan va retrouver la fille blonde au visage d'ange chrétien ou de walkyrie. Liadan n'ayant manifestement pas d'autre amie, il s'agit probablement de la cousine du garçon qui étudie l'histoire et a ruiné mon alibi universitaire. À cause du bruit de fond des élèves qui attendent d'entrer en cours, je n'entends pas ce qu'elles se disent. Je m'aperçois cependant que Liadan, gênée, baisse la tête pendant que sa camarade sautille avec émotion, et j'ai la nette impression qu'elles parlent de moi. Je suis flatté, mais j'espère qu'elle n'aura pas l'idée de me présenter à son amie.

Au déjeuner, elles s'installent au réfectoire avec un groupe de lycéens : Evan, trois garçons et une jeune fille brune qui lance des regards désagréables à Liadan. De longues années passées à observer les gens me permettent de reconnaître l'expression de la jalousie. Parfois, les filles sont cruelles et en rivalité, c'était déjà le cas à mon époque. Liadan ne semble pas lui garder rancune de son hostilité. Au contraire, elle se montre prévenante et s'adresse à elle avec gentillesse, même si l'autre ne le mérite pas.

Quand ses amis proposent d'aller au cinéma dimanche après-midi, la fille blonde insiste pour que Liadan accepte. Ferme et résolue, celle-ci refuse pourtant de participer aux activités qu'ils prévoient pour samedi.

– Qu'est-ce que tu comptes faire, demain ? lui demande son amie alors qu'elles montent au deuxième étage pour assister aux cours.

– Plein de choses. Pour commencer, donner mon téléphone à réparer.

J'éclate de rire intérieurement, car je sais que son téléphone est fichu.

– Tu veux que je t'accompagne ? lui propose la blonde.

– Ce n'est pas la peine, Aith, répond Liadan en chassant une mèche rebelle qui masque ses beaux yeux. En plus, tu avais envie d'assister à la journée « portes ouvertes » de la fac de psychologie, non ?

– Je n'arrive pas à croire que tu veuilles retourner à Barcelone, Lia, lâche Aith d'un ton plaintif.

Elle l'ignore, mais je partage son avis.

Liadan ne lui répond pas et hausse les épaules. J'ai le sentiment qu'elle-même n'est pas sûre de ses intentions. Dois-je m'en réjouir ?

Elles s'éloignent et je n'arrive plus à suivre leur conversation. Liadan paraît gaie et détendue, ce qui me rassure. Je me dirige vers la bibliothèque – aujourd'hui, vendredi, je ne risque rien. La routine m'entraîne toujours dans cet endroit. Je suppose que ce n'est pas seulement la force d'inertie qui me pousse à terminer mes journées aux archives. Je n'ai pas encore réussi à percer ce mystère, mais peu importe, dans la mesure où j'ai des recherches à effectuer.

*

Il y a des années, quand le château abandonné est devenu une fourmilière remplie d'adolescents studieux, cela ne m'a pas dérangé. J'ai même trouvé cette situation plutôt amusante. Je me réjouissais d'avoir au quotidien un spectacle nouveau et de pouvoir m'informer des progrès du monde, si étrangers à beaucoup d'entre nous. Je n'ai eu qu'une seule fois un problème avec une élève, mais cette jeune fille n'a pas vécu assez longtemps pour me causer de réels ennuis.

En fin de journée, à l'heure où le château bourdonne encore d'activité, je me contente de lire dans l'éclat du jour déclinant. Je me débrouille ainsi jusqu'à ce que le lycée ferme ses portes et qu'il me soit possible d'éclairer la bibliothèque sans attirer l'attention de quiconque. Cette tactique fonctionnait à merveille jusqu'à l'arrivée de Liadan.

Je secoue la tête pour ne plus penser à ces choses agaçantes. Il est curieux que je puisse à la fois être ému et irrité, heureux et paniqué. Jusqu'à présent, au fil des siècles, je n'avais eu aucune source d'inquiétude, mais inutile de continuer à ressasser ma relation avec Liadan, aussi invraisemblable et effrayante soit-elle. Comme les marées ou d'autres phénomènes naturels, elle existe et je dois faire avec, puisque je me refuse à adopter des mesures radicales. Je prends le traité de parapsychologie, qu'on a de nouveau déplacé, et patiente le temps de pouvoir aller aux archives. Après mûre réflexion, je me dis que découvrir la nature de mes rapports avec Liadan m'importe autant que de connaître les limites de la vieille tour lorsque j'y suis resté prisonnier. Recueillir des informations sur mon passé m'aide à me rappeler qu'un jour, j'ai été comme eux.

*

Le soir tombe, je vais bientôt pouvoir aller aux archives. Tout à coup, j'entends la porte s'ouvrir. Pris de peur, je sens la température baisser dans la pièce. C'est peut-être Liadan, la seule à savoir que je suis ici. Je vais avoir du mal à lui expliquer ce que je fais dans la bibliothèque alors que celle-ci est fermée à double tour. Si c'est elle, elle risque de m'entendre. Je m'empresse de me lever de mon fauteuil, puis cours me cacher. C'est facile, elle n'aura jamais l'idée d'aller me chercher à l'intérieur d'une surface solide. Je me rends compte que j'ai encore le traité dans les mains. Je n'ai pas le temps d'aller le remettre à sa place, je pourrais la croiser. Aussi silencieusement que possible, je le glisse entre les biographies de la salle de lecture et me tapis derrière les rayonnages, résistant à la tentation d'aller voir qui vient d'entrer.

– Il n'est pas ici, murmure Liadan au bout d'un moment.

Les lumières s'éteignent et la clé tourne à nouveau dans la serrure. Soulagé, je quitte mon refuge. Elle a dû perdre quelque chose hier, voilà pourquoi elle est revenue. La pauvre. L'effet de surprise passé, je me dis que j'aurais bien voulu l'aider et m'esclaffe devant ma propre bêtise : j'ai cru que Liadan me traquait. Comme elle, je deviens paranoïaque.

CHAPITRE 9
LIADAN

Schizophrène ou non, je suis prête à mener ma petite enquête, même si elle est absurde. Mon irruption dans la bibliothèque m'a convaincue d'aller jusqu'au bout. Certaine d'avoir entendu du bruit dans la salle vide, j'ai préféré ensuite me dire que, dans ces vieux édifices, il est normal que les planchers grincent. J'ai beau être courageuse, je ne compte pas risquer ma vie comme une héroïne de film d'horreur qui se jette sans réfléchir dans la gueule du loup. La disparition de ce maudit traité de parapsychologie, que je suis pourtant sûre d'avoir rangé hier, me confirme le bien-fondé de mes soupçons.

Je descends trouver le concierge, qui sort de sa petite loge située à côté des portes gigantesques.

– Excusez-moi, James. Vous savez si quelqu'un a ouvert la bibliothèque aujourd'hui ?

Le vieux monsieur en livrée s'empare d'une sorte de registre et le consulte sans rien remarquer de particulier.

– Personne n'est venu ce matin, mademoiselle, affirme-t-il. Il y a un souci ?

– Non, juste un livre qui n'a pas été remis à sa place, soufflé-je en tâchant de dissimuler mon inquiétude.

James m'adresse un sourire espiègle et ses yeux clairs se plissent.

– Vous n'êtes pas la seule à entendre des bruits étranges. Hier, à l'étage, une dame de service a cru devenir folle. Comme si elle avait vu un fantôme...

Sous ses airs moqueurs, il garde le plus grand sérieux. Quant à moi, je suis stupéfaite.

– Drôle d'histoire, en effet, lâché-je en me forçant à adopter un ton guilleret. Bonsoir, James.

Je me rappelle la pauvre femme de ménage de mon « rêve », qui traversait Alar pour fuir sa présence invisible. À l'évidence, cette scène n'est pas le fruit de mon imagination, puisque le concierge est au courant. J'ai maintenant la confirmation qu'il se passe ici des choses extraordinaires. Je décide d'appliquer mon plan et gagne le jardin arrière du château. Pressant le pas au point de courir, je m'engage sur le sentier sinueux qu'Alar et moi avons emprunté hier. Arrivée à la clairière des cairns, je ralentis, puis je m'immobilise dans le feuillage humide, au bord du chemin. Après m'être assurée que les lieux sont déserts, je prends une longue inspiration et m'élance vers les pierres tombales du fond.

Une personne normale aurait du mal à comprendre pourquoi je suis venue ici, mais j'aime suivre mes impulsions, même si elles semblent saugrenues. J'ai deviné que Keir croyait aux fantômes quand j'ai surpris une expression furtive sur son visage, et je ne me suis pas trompée. Je ne pense pas non plus avoir divagué en percevant des accents insolites dans la voix sombre d'Alar lorsqu'il m'a parlé des tombes celtiques. Je m'agenouille dans l'herbe sans me soucier de me mouiller, tire mon carnet de ma poche et copie les runes aussi vite que possible, m'assurant que ma transcription est fidèle.

– Je suis cinglée, déclaré-je à voix haute en rangeant le calepin, prête à aller jusqu'au bout de mon idée.

Je me hâte de regagner le château. Au croisement des deux sentiers, j'hésite. J'ai hâte de me retrouver en compagnie d'êtres vivants. Je ne prends pas le chemin qui longe le lac, mais l'autre, espérant qu'il sera plus court, ce qui n'est pas le cas. J'ai l'impression de mettre un temps fou et me demande pourquoi, hier, Alar a préféré l'emprunter lorsque nous sommes rentrés. La seule réponse qui me vient à l'esprit est qu'il a voulu rester plus longtemps avec moi, mais je ne m'attarde pas sur cette explication, bien qu'elle soit flatteuse et romantique.

Quand j'atteins l'étendue verte du jardin, il fait nuit et le château ressemble à une masse sombre éclairée çà et là. Soudain, je me pétrifie : une des salles de la bibliothèque est éclairée !

– Mon Dieu ! murmuré-je, angoissée, sentant la tête me tourner.

Je suis sûre de ne pas avoir oublié d'éteindre avant de sortir.

Mais je me garde d'aller vérifier et me persuade que le concierge est monté, puis, paniquée, je me précipite à grands pas vers les grilles du lycée. Je dois partir d'ici. J'arrive chez Aith en haletant. Heureusement, je dîne chez elle, ce qui m'évitera d'avoir à ressasser cette histoire. En me voyant essoufflée, le regard fébrile, mon amie fronce les sourcils, mais je lui affirme que c'est le froid qui me met dans cet état. Elle me croit et demande à Mary d'augmenter le chauffage. J'aimerais tant pouvoir lui expliquer ce qui se passe...

Pendant que nous montons dans sa chambre, j'essaie de me calmer pour ne pas l'alarmer. Je ne lui parlerai que lorsqu'elle sera sûre que je délire et me conseillera d'aller consulter le psychiatre qui s'est occupé d'elle après son accident. Et, s'il conclut à la folie, nous aviserons. En attendant, je ne me sens pas le courage de dire à Aith que, parfois, je vois des « morts ».

– Il faut que j'envoie un e-mail à Brian, lui annoncé-je un peu plus tard.

Nous sommes allongées sur la moquette, occupées à faire nos devoirs de grammaire.

Je sors mon carnet de ma poche et lui montre les runes.

– J'ai trouvé ce texte oghamique dans les archives de la bibliothèque et j'aimerais qu'il me le traduise.

– Il sera ravi de te rendre service. Viens, on va le scanner.

Un instant plus tard, le courrier électronique est parti. Pensant qu'il n'en prendra connaissance que demain et que je ne peux rien faire de plus, je tâche de remiser mon aventure stupide et lugubre dans un recoin de mon esprit.

Keir vient dîner avec nous. Aith nous prépare du *haggis*, ou panse de brebis farcie, un plat typique du nord de l'Écosse qui ressemble à une boulette géante dont il vaut mieux ignorer le contenu. C'est pourtant délicieux. Nous regardons ensuite un film de Woody Allen, où le héros, Woody en personne, visite l'enfer. Évidemment, le choix du film n'est guère adapté à mes états d'âme. Sous prétexte de tomber de sommeil, je m'empresse de partir en précisant à Keir que ce n'est pas la peine de me raccompagner. Je n'ai pas envie de discuter, surtout pas de sa peur des fantômes.

Mais, devant Bruntsfield Park, je regrette ma décision. Le type déguisé en soldat est là, il me suffit d'un simple coup d'œil pour en avoir la confirmation. J'ai même l'impression qu'une grande tache s'étale sur son uniforme vert. Je préfère ne pas en connaître l'origine. Les yeux rivés au sol, je cours jusque chez les McEnzie en m'obligeant à ne penser à rien, puis je me mets en pyjama et me glisse dans mon lit après avoir avalé deux cachets de valériane afin de pouvoir dormir.

*

Le lendemain, je me réveille tôt. Contrairement à ce que je craignais, je n'ai pas fait de cauchemars, mais je n'ai pas passé une nuit paisible. Courbaturée de partout, je suis dans un tel état de nervosité que je me sens euphorique, prête à avancer dans mes projets. Je ne peux pas résister à l'envie d'allumer mon ordinateur pour voir si Brian m'a répondu. Ce n'est pas le cas. Seul un e-mail de Mme Riells s'affiche sur l'écran. Elle veut savoir à quelle heure j'arriverai à Barcelone, dans deux semaines. Je suis surprise, j'avais oublié mon prochain séjour dans cette ville ensoleillée, colorée, lumineuse et sans fantômes, autant dire un monde très différent d'Édimbourg.

Quand je descends prendre mon petit déjeuner, la domestique a déjà disposé mes toasts à la margarine dans le petit salon où je m'installe en l'absence de Malcolm et d'Agnès, son épouse. Je dévore les tartines et remonte dans mon studio pour y chercher mon sac à dos. Je quitte la maison précipitamment, comme toujours lorsque je bouillonne d'impatience. Je traverse les Meadows sous un ciel couvert et me dirige vers le pont George IV, laissant derrière moi l'entrée de Candlemaker Row et la statue de Bobby. Je m'arrête néanmoins pour caresser le petit chien à longs poils du Eating's.

– Bonjour, petit. Moi aussi, je suis contente de te voir, lui dis-je.

Il gémit quand je m'éloigne, mais je suis pressée. Je traverse Princess Street et entre dans une boutique de téléphonie. Les vendeurs ne perdent pas de temps avec mon téléphone, irréparable selon eux. J'en achète un autre, avec un clapet. Je leur dis que j'aimerais récupérer la mémoire de ma carte SIM, ils m'assurent qu'ils vont faire leur possible et me conseillent de repasser en fin d'après-midi. Je quitte le magasin et flâne un moment dans la rue avant d'aller attendre l'autobus qui mène à la faculté d'histoire et d'archéologie. C'est là que doit se dérouler la seconde partie de mon plan.

Je sors de mon sac un des tomes du *Seigneur des anneaux* et poursuis ma lecture, cahotée dans le bus. Même si je l'ai déjà lu plusieurs fois, ce livre m'aide à me détendre et me permet de m'évader. En arrivant devant l'impressionnante et prestigieuse université, je me sens mieux, mes pensées sont plus claires. C'est une pépinière de grands esprits : Alexander Graham Bell, Arthur Conan Doyle et Charles Darwin ont étudié ici. Je m'empresse d'y entrer, en espérant ne pas y croiser Keir. Comme c'est la journée « portes ouvertes », la foule se concentre dans le hall et les amphithéâtres. Je vois même quelques *dunedains* feuilleter des brochures en s'interrogeant sur leur avenir universitaire. Fuyant la zone des stands d'information, je monte à l'étage où se trouvent les bureaux des professeurs.

Mon plan est simple : si Alar est inscrit ici, son nom figure forcément parmi ceux des étudiants. J'examine les panneaux de liège couverts de papiers et trouve les listes de la faculté d'histoire. Je passe deux fois de suite celles des différents groupes, nom par nom. Si je découvre un seul Alar, je lui accorderai le bénéfice du doute, mais je n'en vois aucun. La nervosité me gagne à nouveau, puis j'ai une nouvelle inspiration et songe à ceux qui préparent leur doctorat. Alar a l'air jeune, mais il est peut-être très avancé dans ses études. Là aussi, ma tentative est un échec. C'est désormais officiel : il m'a menti.

Je vais m'asseoir sur un banc, contre le mur, entourée de panneaux en liège et de portes de bureau fermées, sans trop savoir quoi faire. Je ne me sens pas soulagée, je suis au contraire très inquiète. Rassurée de ne pas être folle, je songe qu'Alar est une entité au corps gazeux, immatériel. Cette idée m'effraie, et je n'arrive pas à y croire vraiment.

Je respire longuement. Il me reste encore à vérifier si Alar est vivant ou non. Au fond, cela n'a guère d'importance – mes recherches suffisent à me prouver que je suis en face d'un phénomène étrange –, mais j'aimerais bien pouvoir définir de manière plus précise le seul lecteur qui fréquente la bibliothèque. Comme il l'a dit lui-même, Alar est une « apparition », un fantôme. Je ris toute seule, une pointe d'hystérie dans la voix, trouvant incroyable que les superstitions des Écossais aient fini par déteindre sur moi. C'est toutefois compréhensible : dans ce pays brumeux si riche en histoire païenne et en lieux isolés, l'imagination vagabonde volontiers au mépris de la logique.

Je me lève et m'oblige à regagner le hall, le monde rationnel. Je parcours même quelques dépliants et prends connaissance des arguments de l'université pour recruter des étudiants. Je tente de m'imprégner de cette normalité. Autour de moi, les gens sont enthousiastes. Je suis intéressée, autant l'avouer, et j'ai de moins en moins l'intention de retourner à Barcelone.

– Liadan ?

« Oh, non ! » pensé-je en me raidissant devant le stand. C'est la voix de Keir. La fille qui vient de me renseigner me regarde avec insistance, comme pour me faire comprendre que c'est à moi que s'adresse son camarade. Résignée, je cherche vite un prétexte pour justifier ma présence ici.

– Lia, quelle surprise ! s'exclame Keir en posant une main sur mon bras.

Son beau visage s'éclaire d'un sourire et, bien sûr, les filles qui m'entourent me lancent des regards empreints de jalousie.

– Salut, murmuré-je, me sachant observée.

– Qu'est-ce que tu fais là ? Ne me dis pas que tu vas t'inscrire en fac d'histoire ! Ce serait génial ! Aith n'a pas envie que tu repartes en Espagne. Moi non plus.

Dans un accès de timidité, je me sens devenir cramoisie.

– Je suis venue par curiosité, soufflé-je, heureuse de ne pas lui mentir. Ce matin, j'ai eu envie de venir faire un tour aux journées « portes ouvertes ».

– Je suis chargé d'informer les futurs étudiants, m'explique-t-il en désignant le badge épinglé sur son sweat-shirt. Dans une heure, j'aurai une pause, tu veux qu'on déjeune ensemble ?

Bien que gênée, j'accepte. En attendant qu'il se libère, je lui demande de me prêter son téléphone pour appeler Aith. Il vaut mieux qu'elle apprenne de ma bouche que j'ai finalement décidé de me déplacer jusqu'ici. Nous parlons si longtemps que, lorsque Keir me rejoint, je n'ai toujours pas raccroché. Le sachant aussi riche que mon amie, je ne me suis pas inquiétée de la durée de ma conversation. Avant de suivre Keir à la cafétéria, je prends rendez-vous avec Aith dimanche, mais lui annonce que je ne l'accompagnerai pas au cinéma.

Même s'il n'est qu'en deuxième année, Keir est si charismatique qu'il connaît tout le monde. Beaucoup de ses condisciples veulent savoir si je suis sa petite amie. Quand nous sommes seuls, il me taquine parce que j'ai rougi et que je lui lance des regards furibonds. Le repas est délicieux. Keir me fait ensuite visiter la faculté en multipliant les arguments pour me convaincre de m'inscrire en histoire, puis nous regagnons son stand.

– Tu sais, me dit-il, je suis sûr qu'aucun Alar aux cheveux roux et aux yeux transparents n'est inscrit ici, m'informe-t-il.

Sans rien laisser paraître de ma stupéfaction, je déclare :

– Oui, oui, tu as raison, je me suis trompée. En fait, il est étudiant en sciences politiques. À part ça, ajouté-je, pressée de changer de sujet, j'ai réfléchi à notre conversation de l'autre jour et j'aimerais vraiment que tu me dises pourquoi tu crois aux fantômes.

À présent, c'est au tour de Keir d'être interloqué. Il s'arrête de marcher et me regarde, légèrement troublé, avant de s'assurer que personne ne m'a entendue. Autour de nous règne la plus grande agitation. Occupés à discuter, à lire ou à distribuer des brochures, les gens ne nous prêtent guère attention.

– Je t'expliquerai tout ça plus tard, ailleurs qu'ici. Si tu veux, je passerai te voir à la bibliothèque.

J'accepte sa proposition avant de prendre congé de lui et des deux autres personnes qui tiennent le stand. Je monte dans l'autobus et retourne à l'agence de téléphonie, où les vendeurs m'annoncent une bonne nouvelle : ils ont récupéré le contenu de ma carte SIM et je n'aurai pas besoin de changer de numéro. Je les remercie chaleureusement, paye mon nouveau portable et sors de la boutique tout en l'allumant. J'accède au dossier « Images » devant le Eating's.

– Bonjour ! dis-je au petit chien, que je caresse d'une main tandis que, de l'autre, je pianote sur le clavier du téléphone.

Je trouve enfin les photos que je cherchais, celles des nébuleuses blanches et noires censées représenter Alar devant la vitrine et dans le bureau des archives. Je blêmis et sursaute en sentant le chien me lécher la main lorsque j'arrête de lui caresser les oreilles.

– C'est peut-être une comédienne...

Je lève la tête. Un homme et une femme âgés me regardent comme si j'étais folle, mais ils ne semblent pas remarquer le chien devant lequel je me suis agenouillée. Tout à coup, un mauvais pressentiment me glace le sang dans les veines. Je souris à mes spectateurs improvisés pour les conforter dans leur opinion. Ils doivent penser que je m'entraîne pour le grand spectacle de rue qui a lieu tous les étés à Édimbourg.

Dès qu'ils se sont éloignés, je me détourne du chien et me poste devant la statue de Bobby, quelques mètres plus loin. J'étudie tour à tour le chien coulé dans le bronze et le petit terrier bien vivant qui m'a suivie. Ils se ressemblent beaucoup.

– Bobby ? lâché-je dans un filet de voix.

Le petit animal dresse ses oreilles poilues et remue la queue avec émotion.

– Mon Dieu..., murmuré-je en me mettant à courir.

Je m'engouffre chez les McEnzie en passant devant la domestique stupéfaite.

– Tout va bien, Ann, lui dis-je avant de m'enfermer dans mon studio. Tout va bien, répété-je pour moi-même.

Si je vois des fantômes, pourquoi Alar serait-il le seul? Je crois me souvenir que Bobby a une certaine notoriété à Édimbourg. J'allume mon ordinateur afin de glaner sur Internet davantage d'informations à son sujet. Mon cœur s'emballe lorsque je m'aperçois que j'ai reçu un e-mail de Brian.

Je lis en diagonale ses formules de politesse pour vite parcourir les lignes qui m'intéressent. D'après Brian, les deux dalles appartiennent à une seule et même tombe celtique, sous laquelle repose probablement une urne remplie de cendres ou un squelette en armure. La signification des inscriptions est la suivante:

ALASTAIR, AMANT ET AMI

Intéressant. Je pouffe en me rendant compte que ma théorie était absurde et lève les yeux au plafond, soulagée. Puis je me concentre à nouveau sur l'écran de l'ordinateur. Je suis suffoquée: il me suffit de masquer quelques lettres pour lire:

AL A R, AMANT ET AMI

Je me sens mal, ma vue se brouille et, pendant quelques instants, j'ai l'impression d'être plongée dans le noir.

CHAPITRE 10
ALASTAIR

Le dimanche est mon jour préféré. Je me sens libre de me promener dans le lycée totalement vide, hormis la présence de deux gardiens qui restent dans leur guérite, à côté du portail. Les lieux redeviennent comme à l'époque où il n'y avait ni lycée ni étudiants, juste un château abandonné : je n'ai pas peur de faire du bruit, j'allume sans crainte toutes les lumières de la bibliothèque et ose même surfer sur Internet. En temps normal, le ronronnement des ordinateurs risquerait d'éveiller les soupçons. Oui, le dimanche est vraiment mon jour préféré. Je prends la pile de journaux que le concierge a accumulés dans sa loge pendant la semaine et je les lis. C'est le meilleur moyen de me tenir informé de ce qui se passe dans ma ville. En ce moment, cela me semble plus important que jamais. Je suis attentif aux dangers susceptibles de menacer Liadan.

Je me suis attaché à elle, je le sais. Plus que de raison, c'est certain, mais je dois l'accepter. Notre angoisse naturelle vire à l'obsession lorsqu'un vivant nous traite comme si nous étions son semblable. Après la journée atroce que je lui ai fait passer jeudi, après que j'ai vu son visage épouvanté et porté son corps léger et tremblant dans mes bras, mon instinct protecteur s'est réveillé. Je ne veux pas lui faire de mal, je refuse qu'elle souffre à cause d'un des *miens* ou soit victime de sa perspicacité. Voilà pourquoi j'ai fait disparaître le vieux journal intime et mis son téléphone hors d'usage. Désormais, il faut que je pense à ranger le traité de parapsychologie à sa place habituelle, même si je ne suis pas d'accord avec ce classement. J'essaierai peut-être de la convaincre de mettre cet ouvrage et quelques autres à la bonne place, car je ne supporte pas le désordre.

Quand le soleil est au zénith, j'appelle Jonathan et lui demande de venir au lycée dans l'après-midi. Je dois lui parler et préfère être en tête à tête avec lui pour bien lui expliquer le rôle qu'il aura à jouer. Il a comme moi le pouvoir d'entrer en contact avec le monde physique. Je reste dans la bibliothèque jusqu'au crépuscule, puis gagne le lac, où Caitlin m'attend, de bonne humeur. L'approche de la Nuit des Morts nous stimule, surtout elle, qui ne peut quitter son étendue d'eau.

– Qu'est-ce que tu comptes faire de ta créature bizarre à Halloween ?

– Ce n'est pas une créature bizarre, mais une jeune fille telle que tu l'as été autrefois, riposté-je sans m'énerver. Eh bien, je n'ai rien prévu du tout parce qu'elle ne sera pas là. Elle est originaire d'une ville lointaine et j'espère que, là-bas, elle n'aura pas de problèmes.

– Tôt ou tard, elle en aura, tu le sais, prédit Caitlin. Rappelle-toi la fille qui écrivait un journal : elle s'est tuée dans l'escalier en colimaçon.

– Oui, mais je ne la protégeais pas. Bon, j'y vais, j'ai rendez-vous avec Jonathan.

– C'est vrai ? Salue-le de ma part, dis-lui qu'on se voit pour Halloween.

Attendri, je lui réponds que je n'y manquerai pas.

Pauvre Caitlin. Elle s'est noyée dans le lac en 1785, alors qu'elle n'était qu'une adolescente. Elle y est demeurée prisonnière dès l'âge de quinze ans. Après sa disparition tragique, ses parents ont quitté le château, qui est resté abandonné jusqu'à ce qu'on le transforme en lycée. J'ai été son seul soutien. Si elle ne m'avait pas rencontré et ne s'était pas appliquée à me ressembler, Caitlin serait devenue un spectre effroyable. Elle ne voit personne d'autre que moi et les quelques *dunedains* qui s'approchent de la rive. Ils ne sont guère nombreux, le fantôme du lac étant plus célèbre que celui de la bibliothèque, même si je hante ces lieux depuis des siècles.

Mais elle est moins discrète que moi et aime davantage semer le trouble. Il y a deux ans, elle s'est placée dans une situation périlleuse en essayant de noyer un lycéen dans le lac. « Je le trouvais beau », m'a-t-elle expliqué, honteuse d'avoir à ce point fait scandale. Sur le moment, ses raisons m'ont échappé. Maintenant, je comprends ses motivations.

Il est difficile d'être attiré par quelqu'un et de chercher sa compagnie sans l'entraîner dans notre monde. Nous savons qu'il partira un jour alors que nous sommes ici pour l'éternité.

Je cache ces pensées dans un recoin de mon esprit et me dirige vers la grille à la tombée de la nuit. Je ne sors pas plus que Jonathan ne peut entrer, mais nous discutons en criant, malgré la distance qui nous sépare.

Jon est à l'heure. Avec son uniforme vert, ses hautes bottes en cuir et l'énorme tache de sang qui s'étale sur son torse, il est facilement reconnaissable. Nous sommes étranges et difficiles à cerner. Chacun a sa propre histoire, que son allure reflète plus ou moins. Mon aspect banal fait figure d'exception, sans doute parce que je tâche de m'insérer dans ce monde depuis des siècles. Soit on s'adapte, soit on devient fou. Au fil des ans, j'ai vu beaucoup des miens sombrer dans la folie.

– Alastair ! s'écrie Jon d'un ton joyeux en me voyant arriver. Que se passe-t-il ? Tu sais que je n'aime pas trop m'éloigner de Bruntsfield.

En fait, il ne peut sortir des limites du parc, et, si la fête d'Halloween n'était pas proche, il n'aurait jamais réussi à venir jusqu'ici.

– J'ai un service à te demander. J'aurais besoin que tu surveilles une fille qui n'est pas comme nous.

Il hausse ses sourcils châtains sous son béret ourlé. Il est conscient de la présence des vivants, contrairement à certains de nos semblables, qui les ignorent. Mais il ne les apprécie pas.

– Il faut lui faire quelque chose ? s'empresse-t-il de me demander.

– Non, juste la surveiller.

– Je vois ! s'exclame-t-il d'un air malicieux. Tu veux la garder pour toi ?

J'acquiesce de manière évasive et lui décris Liadan. Jonathan observe les passants d'un œil distrait, ne s'attardant que sur les femmes de quatre-vingt-dix ans, l'âge qu'il aurait aujourd'hui s'il n'avait pas trouvé la mort pendant la Seconde Guerre mondiale. Si elle est encore de ce monde, Jeanine, sa fiancée, est l'une de ces vieilles dames. Un soir, avant de partir, Jon a juré à Jeanine qu'il reviendrait. Il a été fauché dans Bruntsfield Park. Après avoir agonisé sur le champ de bataille, il est resté prisonnier de ce lieu, loin de chez lui, et tente chaque jour de tenir sa promesse.

Mais s'il étudie toutes celles qui pourraient être sa Jeanine, c'est plus par crainte que par envie. Il apprécie l'existence qu'il mène à présent et ne veut pas disparaître. Il s'entend bien avec moi parce que je lui ai appris à aimer sa condition comme je l'ai fait avec Caitlin et tant d'autres.

Quand j'estime que Jonathan dispose d'informations suffisantes sur Liadan et que je suis sûr qu'il se contentera de l'observer, je prends congé de lui. Il se fait tard.

– Ah, Caitlin te passe le bonjour ! Vous vous verrez à Halloween.

– J'adorerais, me répond-il en souriant.

Ce n'est pas facile, pour des amoureux, de se retrouver une seule fois par an.

*

Je passe la matinée à épier Liadan pour m'assurer qu'elle est calme, détendue, et ignore le monde parallèle qui l'entoure. Elle arrive au lycée avec un léger retard et se précipite dans la salle de cours en se battant avec le fil de son iPod emmêlé dans ses cheveux. Elle porte un jean usé, un gilet en polaire sur une chemise à manches longues, et a troqué ses bottes habituelles contre une paire de baskets. Bien qu'elle semble vêtue pour aller en excursion et non en cours, elle a un air enjoué et résolu. Rassuré, je me rends à la bibliothèque, où je compte rester jusqu'en fin d'après-midi.

Aujourd'hui, beaucoup d'élèves s'attardent dans les couloirs. Ils veulent parler à leur professeur principal des journées « portes ouvertes » de l'université, si bien qu'il fait déjà nuit lorsque je peux enfin aller aux archives sans risquer d'être vu.

Comme toujours, Liadan est en train de lire, mais elle relève la tête en m'entendant ouvrir la porte. Elle est sur ses gardes, peut-être m'attendait-elle. Elle me regarde fixement, le menton calé dans une main, songeuse. Je remarque qu'elle a changé de livre.

– Bonjour, Liadan, qu'est-ce que tu lis, aujourd'hui ?

Elle m'adresse un salut de la main. Je la sens nerveuse, sans doute ne s'est-elle pas encore remise de sa prétendue chute d'escabeau d'hier. Elle me montre une édition moderne des *Deux Tours*, le deuxième volet du *Seigneur des anneaux*. Je suis surpris qu'une fille apprécie ce genre de *fantasy* épique.

– Tu as eu envie de découvrir l'origine des *dunedains* ? aventuré-je en souriant.

– Non, je la connais, répond-elle. C'est un de mes livres préférés. Je l'ai déjà lu quatre fois.

– Moi aussi, j'aime beaucoup cette trilogie.

– J'imagine que..., commence-t-elle, encore plus troublée qu'il y a quelques minutes. Tu ne voudrais pas aller te promener à nouveau avec moi près du lac ?

Sa question me prend de court, Liadan est très imprévisible. J'accepte avec plaisir, envahi par des sentiments n'annonçant rien de bon. Elle essaie de me rendre mon sourire, mais elle est trop timide. Je préférerais qu'elle soit plus à l'aise en ma compagnie. Pendant qu'elle me suit en silence jusqu'à la tour où était située l'ancienne réserve du château, je tâche de parler de choses banales, l'interroge sur ses études comme le ferait toute autre personne plus âgée qu'elle. Elle s'anime davantage lorsque nous sortons du passage secret et gagnons le jardin, me fournit plus de détails sur l'examen de philosophie qu'elle a passé aujourd'hui.

De la part d'une jeune fille incommodée par tout contact avec autrui, son trouble ne m'inquiète guère. Alors que nous marchons sur le pont au-dessus du lac, elle me regarde soudain droit dans les yeux, comme si elle s'apprêtait à dire quelque chose, puis baisse la tête et fixe le sol. Ses beaux cheveux roux clair qui lui viennent de ses ancêtres de l'Eire masquent la pâleur de son visage enfantin.

– Et tu t'en es bien sortie ? lui demandé-je d'une voix douce, à propos de son devoir de philosophie.

– Oui, c'était facile. M. Quinsley, notre prof, est un original. Il nous fait travailler sur des thématiques très étranges.

Elle parle d'un ton détaché, à croire qu'elle se désintéresse du sujet qu'elle s'attarde pourtant à m'exposer en gesticulant un peu trop à mon goût.

– Quand on a lu *Fahrenheit 451*, de Ray Bradbury, il est évident que le chien mécanique symbolise le bras armé de l'Inquisition. Certains élèves étaient paniqués, et... Oh !

Je m'arrête net en la voyant blêmir.

– Qu'est-ce qu'il y a ? m'écrié-je.

J'inspecte discrètement les alentours. Peut-être est-il plus tard que je ne le pensais et Caitlin rôde-t-elle dans les parages. Mais je ne la vois pas, ni personne d'autre.

– J'ai perdu ma bague, murmure Liadan, au bord des larmes. Elle a dû tomber dans l'eau pendant que je jouais avec. Elle appartenait à ma mère.

J'étudie longuement son expression désemparée, puis, décidé, j'enlève mon sweat-shirt et le lui tends.

– Garde-moi ça, je vais la chercher, dis-je en lui effleurant la joue, surpris par mon audace et la froideur de sa peau.

Je plonge, prêt à récupérer sa bague. C'est un bon présage, comme ceux d'autrefois. Je ne sortirai pas du lac tant que je ne l'aurai pas trouvée.

CHAPITRE 11
LIADAN

Je remets la bague à mon doigt, stupéfaite que ma ruse ait fonctionné. J'ai toujours été bonne actrice malgré mes nerfs à fleur de peau. Beaucoup de légendes et de mythes écossais parlent de chevaliers qui vont chercher des objets que leurs dames ont fait tomber dans des lacs. J'ai eu envie d'essayer. Le cœur battant, je consulte ma montre et regarde les aiguilles tourner. Au bout de douze minutes, je prends peur, laisse tomber le sweat-shirt d'Alar et me mets à courir comme si le diable me poursuivait.

Bien que la panique me fasse tourner la tête, je m'en tiens au plan que je me suis fixé. Hors d'haleine, je m'arrête au bord du sentier qui mène à la forêt en espérant ne pas me tromper, ni tomber ou me casser une cheville. Je me dirige vers les sous-bois, tout en sachant que je vais bientôt être plongée dans l'obscurité.

Je ralentis et m'immobilise de nouveau. Et si j'étais vraiment cinglée, si Alar était en train de se noyer dans le lac ? Je porte mes mains à mes tempes, incapable de réfléchir.

– Lia ? crie une voix caverneuse dans la forêt.

Maintenant, c'est très clair. Si Alar ne s'est pas noyé au bout de douze minutes, c'est qu'il n'est pas humain. Je déguerpis en vitesse. J'ignore ce qui pourrait m'arriver si jamais il m'attrapait, mais je n'ai aucune envie de le savoir. Même s'il m'est difficile de distinguer le chemin dans le noir, je ne veux pas sortir ma lampe de poche. Alar ne connaissant probablement pas mes intentions, je préfère ne pas éveiller ses soupçons. Je trébuche sur des pierres et des racines, et une branche m'égratigne le visage, mais je continue de courir. L'adrénaline me donne des forces et anesthésie ma douleur. Ma vie est en jeu.

Soulagée, je soupire en arrivant dans la clairière des cairns. Je regarde droit devant moi, comme les chevaux, et cours vers les dalles de la tombe d'Alar. Je m'agenouille et inspecte par terre sans trouver de cailloux. Je me relève, cherche autour de moi dans l'espoir d'en voir au moins un. « Tout est perdu », pensé-je. Je m'approche d'un cairn et y découvre de petits galets ronds et polis. Je les prends et retourne devant la tombe celtique, les empile pour former un tas arrondi sur le tombeau d'Alar.

J'ai lu dans un livre traitant des mythes locaux que les ancêtres des Écossais entassaient des pierres sur les tombes pour empêcher leurs occupants d'en sortir. Puisque c'était efficace contre les *dearg-due*, ou vampires, j'ai pensé que cette méthode pouvait également s'appliquer aux fantômes en général. J'édifie avec soin un petit amoncellement de cailloux semblable à ceux qu'on voit un peu partout dans ce pays. Je suppose que je ne suis pas la seule à adhérer à ces croyances. D'autres que moi les mettent peut-être en pratique pour satisfaire leurs goûts morbides, sans se douter qu'ils emprisonnent parfois un défunt dérangeant.

Je pose la dernière pierre sur mon œuvre, qui me rappelle en miniature les pyramides humaines exécutées par des acrobates pendant les fêtes, en Catalogne.

– Pourvu que ça marche, murmuré-je.

J'attends, puis une sorte de grognement furibond s'élève quelque part dans la forêt. Si cette méthode se révèle infructueuse et ne fait qu'attiser la colère d'Alar, je pense que je n'ai plus longtemps à vivre. Mon existence défile dans mon esprit, je suis trop tendue pour sourire à l'évocation de mes souvenirs les plus heureux.

J'enfouis ma tête entre mes bras lorsqu'un vent violent et glacé se lève et me fouette le visage. Cette bourrasque surnaturelle ébouriffe mes cheveux et fait claquer ma veste, mais, devant la pile de cailloux, il faiblit et m'abandonne à la froide quiétude de la nuit automnale. De longues secondes s'écoulent avant que j'aie l'assurance d'avoir survécu à mon expérience. Ce n'est qu'alors que j'ose observer les lieux, comme au sortir d'un rêve.

La nuit est tout à fait tombée. Je suis seule dans la forêt.

– Alar ? appelé-je à voix haute pour être sûre qu'il n'est pas ici.

Apparemment, l'ancien rituel est toujours efficace. J'ai fait fuir un spectre, une apparition, un mort vivant ou tout autre chose. Cela a des implications inquiétantes, mais pour l'instant je préfère ne pas y penser. Alar est un fantôme et certains de ses compagnons rôdent peut-être par ici.

Remplie d'effroi à cette idée, je me lève, ma lampe de poche à la main, et cours, mes poumons près d'éclater, le regard fixé sur le faisceau lumineux projeté devant moi, le long du sentier sinueux. Je me concentre sur le bruit de ma respiration haletante, tâchant de rester sourde à l'écho de la forêt : j'ai eu assez d'émotions fortes pour la soirée. Cette fois, je m'engage sur le chemin le plus court, qui passe par le lac. Voir cette étendue d'eau calme est un soulagement. Je ralentis en traversant le pont où j'ai tendu mon piège à Alar. Son sweat-shirt a disparu, les lumières de la bibliothèque sont éteintes, tout est normal autour de moi et je suis épuisée, mais victorieuse et puissante. Une sorte de « Buffy contre les vampires », mais plus stylée.

Heureuse d'être en vie et de savoir que je ne suis pas folle, je refuse catégoriquement d'admettre ce que je distingue du coin de l'œil. J'ai vaincu, point final. Mais, lorsque la tache blanche se rapproche, je ne peux pas l'ignorer plus longtemps. Je me retourne et braque comme une arme ma torche sur cette forme flottante. À deux cents mètres de moi, une sorte de brume à forme humaine semble marcher sur ma droite, au bord du lac.

Je pousse un gémissement horrifié et reçois une décharge d'adrénaline qui fait bouger mes jambes malgré moi. Je me rappelle ce qu'Aith m'a dit un jour, bien avant que cette aventure ne commence : « Parfois, près du lac du jardin du lycée, on voit une jeune fille vêtue de blanc. »

« Oh, non, pas d'autre fantôme maintenant. Alar me suffit », songé-je avec angoisse en m'élançant vers le portail ouvert.

*

De retour chez moi, je m'assois sur le lit et pleure un moment, encore sous pression. J'ai à présent la certitude d'avoir vraiment vécu tout ce qui vient de se passer. J'ai résolu le problème, mais je vais devoir maintenant affronter mes propres émotions. Je me recroqueville sur l'édredon en versant toutes les larmes que contient mon corps meurtri et affolé.

Je me sens plus bizarre que jamais. Les gens normaux ne voient pas de spectres, ils sont incapables de les leurrer et de les enfermer dans leurs tombes. Ils mènent en général une vie plus banale. Moi qui ne veux pas être différente des autres, c'est réussi !

Je réalise que, quoi qu'il arrive, Alar ne reviendra pas. Je l'ai renvoyé à sa place, sous terre, dans l'au-delà. Mon Dieu ! L'au-delà existe donc vraiment. Je suis euphorique, j'ai terrassé le Mal, si tant est que ce dernier puisse prendre les traits d'un garçon magnifique et charmant.

Pourtant, loin de me réjouir, je me sens coupable et fourbe. La ruse de la bague me pèse encore sur la conscience. Alar s'est empressé d'aller la repêcher, il m'a caressé le visage d'un geste tendre. J'ai de la peine pour lui et crains de l'avoir réellement gommé de la surface de la terre.

CHAPITRE 12
LIADAN

– Alors, comment c'était, Barcelone ? me demande Aith mercredi matin, quand nous nous retrouvons au lycée après ma courte escapade de la Toussaint.

– Réconfortant.

Ma réponse énigmatique lui fait hausser les sourcils, mais mon sourire joyeux la rassure. Elle m'a manqué. Pendant l'heure de grammaire, je bâille le plus discrètement possible. L'avion avait du retard et je dors mal en ce moment, si bien que je suis épuisée, mais d'une sérénité qui frise la béatitude.

– Tu crois qu'aujourd'hui, tu vas voir le garçon qui vient travailler à la bibliothèque ? s'enquiert Aith.

Je la regarde droit dans les yeux.

– Je ne pense pas. Il n'est pas venu la semaine dernière.

Pendant ma brève évasion de la grisaille surnaturelle d'Édimbourg, j'ai beaucoup réfléchi à mon aventure.

Après avoir été terrifiée, déprimée, persuadée d'être un animal de foire, j'ai fini par me calmer et par accepter ce qui m'était arrivé. Au fil des jours, mon sentiment de culpabilité s'est cependant accru. Je sais pourquoi et pourrais l'expliquer par une métaphore: pour les anciens Celtes, les arbres étaient sacrés. L'Écosse était alors couverte de forêts millénaires et les tribus qui avaient besoin de bois abattaient certains arbres, mais considéraient leur coupe comme un délit. À leurs yeux, c'étaient des êtres mortels qui avaient cohabité avec leurs ancêtres, poussé pendant des centaines d'années, traversé différentes ères. Comparés à eux, les humains étaient insignifiants et n'avaient donc pas le droit de faucher toutes ces années d'existence et de sagesse naturelle.

C'est pourtant ce que j'ai fait avec Alar. Si cette tombe est réellement la sienne, il a vécu il y a plus de mille ans. Or, en quelques minutes, j'ai envoyé sous terre quelqu'un qui habitait ce château depuis des siècles. Je ne me suis pas bien comportée avec lui et le souvenir de cette mauvaise action me taraude. Lui a été gentil à mon égard, il s'est gardé de m'effrayer et de me faire du mal, il m'a proposé une promenade dans la forêt et s'est intéressé à mes études. Il n'a pas hésité à plonger dans le lac pour repêcher la fichue bague qui m'a servi de leurre. Alastair. Ce prénom signifie « protecteur des hommes », ce qui ne veut peut-être rien dire, pourtant c'est le garçon le plus honnête de tous ceux que j'ai rencontrés.

Aujourd'hui, les heures s'écoulent tristement dans la bibliothèque. Je sais qu'Alar ne viendra pas et n'en éprouve aucun soulagement. Au bout de quelques instants, je vais chercher le traité de parapsychologie qu'il appréciait. S'il est vrai que les fantômes existent et qu'il est possible de les voir, je dois m'informer à leur sujet.

À l'évidence, « fantôme » est un mot qui recouvre une réalité aussi générale que le terme « oiseau ». Il y a différentes sortes de fantômes et chacun constitue un monde à part entière. Je me demande comment les auteurs de cet ouvrage peuvent avoir des connaissances aussi vastes sur le sujet. Les spectres sont des êtres dotés d'une nature et d'un instinct humains impulsifs et colériques. Constitués à partir de l'énergie présente dans les connexions cérébrales des défunts, ils seraient en quelque sorte des réminiscences électriques de l'esprit, mais la physique n'est pas encore assez avancée pour analyser ce phénomène. Des « psychophonies » ou manifestations auditives des esprits, des photographies et des vidéos prouvent l'existence des fantômes et d'autres phénomènes tels que les trous spatio-temporels, les centres de pouvoir karmiques et le triangle des Bermudes.

Parvenue à cette conclusion, je suis tentée de refermer le traité, puis, me souvenant que j'ai vu moi aussi des choses inconcevables, je reprends ma lecture d'un œil moins ironique. À dire vrai, ce livre n'est pas inintéressant et je finis par en parcourir quelques passages tous les après-midi.

En somme, il y aurait sur terre des apparitions, des infestations, des esprits, des fantômes d'animaux, de personnes décédées, d'objets et même d'humains encore en vie. Certains peuvent influer sur le monde physique, d'autres se contentent de le traverser ou ignorent tout simplement qu'ils évoluent dans un univers peuplé d'êtres vivants, de même que ces derniers n'ont pas conscience de côtoyer des morts. À proximité d'un fantôme, il fait froid, les appareils électriques s'altèrent, les objets bougent, on est parcouru de frissons, migraineux, on sent un contact et on risque de sombrer dans la folie. Les auteurs du traité sont convaincus que peu de spectres peuvent établir des relations avec les vivants, mais ils sont parfois capables de commettre des crimes. Je préfère ne pas trop m'attarder sur ce dernier point.

*

Jeudi, en lisant l'avant-dernier chapitre du traité, consacré aux relations entre morts et vivants, je commence à comprendre ce qui a fasciné Alar dans cet ouvrage. J'y découvre des cas véridiques, pour la plupart abracadabrants : des gens sauvés par leur pékinois, des jeunes filles du siècle dernier affirmant avoir été violées par des êtres invisibles (les pauvres, il fallait bien qu'elles expliquent pourquoi elles n'étaient plus vierges le jour de leur mariage). Mais certaines histoires retiennent mon attention, comme celles d'individus ayant appris que les amis qu'ils venaient de rencontrer étaient morts depuis longtemps. Je parcours aussi des anecdotes à propos de personnes convaincues d'avoir vu des êtres ou des choses d'une autre époque. En général, les gens interrogés étaient internés dans des hôpitaux psychiatriques ou vivaient en reclus, pourtant ils ne paraissaient pas fous à lier.

Quand je repose l'ouvrage, il est très tard. Je me hâte de le ranger et vais fermer la bibliothèque. Désormais, quand je marche dans la rue, je reste sur mes gardes, de peur de croiser une « apparition ». Tout en m'étant insupportable, cette idée me rend plus combative. Parfois, la peur entraîne des réactions contradictoires et nous incite à la fuite autant qu'à l'attaque. Je me sens donc divisée : d'une part, j'ai envie de me cloîtrer chez moi et de ne plus en sortir ; de l'autre, je veux traquer les éventuels fantômes qui évoluent parmi les vivants. Je suis curieuse de savoir si je peux les voir, comme Alar et Bobby, ou au contraire si je les côtoie sans les distinguer. C'est probable, parce que jusqu'à présent, mon père ou ma père ne me sont encore jamais apparus.

Alar me manque. J'avais fini par croire en notre amitié.

*

Vendredi après-midi, sous prétexte d'avoir une course à faire, j'annule mon rendez-vous avec Aith et flâne dans le Royal Mile. Je ne vais pas du côté du pont George IV, où se trouve Bobby, mais je ne peux m'empêcher de l'observer de loin : il attend devant le restaurant, comme il le fait sans doute depuis plus de cent ans. Toujours seul mais bercé d'un espoir candide, il agite la queue. Je suis si triste pour lui que ma gorge se noue. Je poursuis mon chemin, encore stupéfaite du projet que j'ai arrêté.

Je me dirige vers le Mary King's Close, l'une des nombreuses impasses voûtées de la vieille ville ouvertes au public. Sous ce quartier bâti sur des ponts et des piliers s'étend une cité souterraine laissée en grande partie à l'abandon, mais cet endroit pittoresque est aujourd'hui célèbre. Il me rappelle le parc d'attractions de Port Aventura, en Catalogne, dans une version sinistre.

Au XVIIIe siècle, beaucoup de gens pauvres vivaient dans le Mary King's Close. Quand une épidémie de peste décima la ville, ils furent nombreux à mourir dans ce passage malsain après avoir contracté la maladie. Voilà pourquoi on a baptisé ce lieu la « ruelle des âmes en peine », car, selon la légende, les fantômes des pauvres hères qui y trouvèrent la mort hantent encore ces pavés, devenus une curiosité pour touristes en mal de sensations fortes.

Un de ces esprits est mondialement connu. Il s'agit d'Annie, une fillette décédée en attendant sa mère. Les visiteurs lui apportent des poupées et des peluches, espérant ainsi la distraire dans son éternelle retraite. Bien sûr, rien de tout cela n'est vrai, c'est du moins ce que j'aurais eu tendance à croire le mois dernier.

Je rejoins le groupe de curieux, des Italiens, qui va bientôt pénétrer dans la ruelle. J'écoute avec plus d'attention que la première fois les guides déguisés en personnages du XVIIIe siècle. Les nerfs en pelote, je songe sérieusement à faire marche arrière, puis me ravise et décide de rester.

Après la courte introduction historique d'une femme habillée en matrone de l'époque, nous descendons dans les souterrains. Je remonte le col de mon manteau. L'air est confiné dans ces goulets qu'aucune fenêtre ne permet de ventiler. Je songe que ces taudis ont pourtant été l'espace de vie et le tombeau de nombreuses personnes.

À mesure que nous progressons vers le lieu où Annie, gravement malade, a été abandonnée par sa mère, je perds de mon assurance. Lors de ma première visite, je n'avais presque rien vu parce que j'avais concentré mon attention sur le coffre où les touristes laissent des jouets à une fillette inexistante. « Les gens sont prêts à gober n'importe quoi », m'étais-je dit alors. Maintenant, je sens l'angoisse monter en moi et, lorsque nous pénétrons dans le réduit sinistre et lugubre, je me tords les mains, épouvantée.

Je regarde le coffre et pousse un cri étouffé par les voix des Italiens. Une petite fille aux cheveux noirs ébouriffés est agenouillée. Elle porte une chemise crasseuse. Son visage et la partie visible de son cou sont couverts des furoncles caractéristiques de la peste bubonique. Je n'ai jamais vu d'expression aussi triste. Elle promène ses doigts sur les poupées sans parvenir à les toucher, ignorant le public qui se tourne vers elle, mais ne la voit pas.

Je sursaute lorsqu'elle relève la tête. En voyant une Italienne déposer une poupée dans le coffre déjà plein, je dois me faire violence pour éviter de lui conseiller de garder ses distances. La fillette se redresse et la regarde avec envie. Elle essaie de saisir le jouet, mais ses doigts longs et pâles passent au travers et se referment sur du vide. Je l'entends sangloter, ses yeux noirs noyés de larmes. Tandis que la petite pleure sans comprendre, l'Italienne se trémousse et pouffe nerveusement en affirmant avoir « senti quelque chose ». Ses compagnons s'esclaffent à leur tour et touchent le coffre pendant que la guide leur expose en souriant d'autres cas similaires. Tout le monde semble réjoui, sauf moi.

Étrangère à l'allégresse générale, Annie gratte ses pustules et se lamente près du coffre bourré de jouets inaccessibles. Émue, je m'engage dans l'escalier pour quitter cet endroit au plus vite. J'ai besoin d'air pur. Les visiteurs qui attendent à l'extérieur, impatients de descendre et de s'offrir une belle frayeur, lâchent des commentaires sur mon visage blême.

La nuit est déjà tombée quand je me dirige vers le pont George IV. J'observe le petit Bobby, qui attend devant le restaurant, dans l'espoir d'un repas. Je traverse la rue, m'arrête devant sa statue et fais semblant de me baisser pour arranger le bas de mon pantalon, au cas où quelqu'un me verrait.

– Bobby, dis-je à voix basse.

Le petit terrier tourne la tête, me regarde et agite sa queue de manière frénétique. Je le caresse en tâchant de ne pas attirer l'attention. Il me lèche la main, tourne autour de moi et, ses pattes avant posées sur ma jambe, essaie d'atteindre mon visage. Je suis sans doute la seule à le voir, à lui apporter un peu de chaleur et à l'appeler par son nom. Cela me désole et me donne envie de pleurer. Pour lui. Pour Annie. Pour tous les autres.

Je lui promets de revenir et m'éloigne en l'entendant gémir dans mon dos, décidée à me montrer pleine de bonté envers les êtres que je connais, qu'ils soient vivants ou morts.

*

Je retourne au lycée en courant pour ne pas trouver les portes fermées. Le vendredi, il reste ouvert jusqu'à huit heures, et les professeurs en profitent pour s'avancer dans leur travail ou corriger des devoirs. Je dis aux gardiens que j'ai oublié quelque chose. Une fois hors de leur champ de vision, je me dirige vers le parc, à l'arrière du château. Dans la forêt, je prends le chemin le plus long : je préfère éviter de croiser la nébuleuse du lac.

Je gagne le vieux cimetière en haletant et tarde à me décider, puis je prends mon courage à deux mains et me poste devant la tombe d'« Alastair, amant et ami ». Malgré la panique qui s'est emparée de moi, je la contemple un moment. Quelqu'un, il y a fort longtemps, a regretté Alar comme ami et amant. Je suis bien obligée de reconnaître que je comprends cette personne. Après avoir pris plusieurs inspirations, je fais des flexions pour me réchauffer ; j'aurais dû mettre mes baskets. Quand je me sens prête, je m'éloigne le plus possible de la dalle et de la pyramide de cailloux tout en m'assurant de pouvoir atteindre celle-ci du bout du pied. Je sors de ma poche le mot que j'ai écrit en chemin dans mon carnet, arrache la page et la pose par terre en espérant qu'elle ne s'envolera pas.

– Peu importe ce qui arrivera, murmuré-je, incapable de bouger. Bon. Maintenant.

Je compte jusqu'à trois avant de donner un coup de pied magistral dans la pile de galets, puis me mets à courir sans regarder derrière moi. Je fuis avec toute la force que m'insuffle ma frayeur, sans perdre une seconde pour voir ou écouter ce qui se passe. Arrivée devant le lycée, je souffle. Ce qui est fait est fait, il n'y a plus moyen de reculer.

CHAPITRE 13
Alastair

Perplexe, je regarde autour de moi. Il fait nuit. Les feuilles des arbres bruissent dans le vent et celles qui couvrent le sol humide craquent doucement sous mes pas. J'ignore quoi, mais je sais qu'il s'est passé quelque chose depuis la dernière fois que je suis venu ici. Je regarde par terre, vois un papier sous mon pied et me penche pour le prendre et le lire :

En contrepartie, je ne veux plus que tu t'approches de moi.

C'est Liadan qui l'a écrit, j'en suis sûr. Furieux, déçu, je me sens trahi. Je serre sa note entre mes doigts jusqu'à ce qu'ils deviennent blancs. J'inspecte les lieux, conscient de faire baisser la température de plusieurs degrés, mais je suis seul. C'est une chance qu'elle ait disparu, car à cet instant je pourrais la tuer. Je ne m'attarde pas ici et m'empresse d'aller jusqu'au lac pour voir Caitlin, qui doit être inquiète. Je suis si en colère que les branches des arbres s'agitent sur mon passage.

De loin, je vois Caitlin s'élever et descendre avec nervosité au-dessus du lac, semblable à un nuage blanc se détachant sur le fond noir.

– Alastair ! s'écrie-t-elle, à l'évidence très soulagée.

Elle attend que je la rejoigne au bord du lac, la frontière qu'elle ne peut dépasser, pour se jeter dans mes bras en pleurant. Après s'être blottie un moment contre moi, elle décèle la dureté de mon regard.

– C'est cette fille, n'est-ce pas ? demande-t-elle d'une voix encore douce, bien que je sache qu'elle va bientôt se mettre en colère.

– Quel jour est-on, aujourd'hui ?

– Je l'ignore, Alar, souffle-t-elle, désolée de ne pas avoir la notion du temps qui passe.

Je suis tenté de prendre mon téléphone pour le savoir, mais la batterie est probablement à plat. Il faut que je le branche sur une des prises du château.

– Je peux juste te dire qu'il y a quelques jours, c'était Halloween, lâche-t-elle avec timidité.

Je suis si agacé que Caitlin s'écarte de moi. Sous mes pieds, les brins d'herbe affolés se détachent de la tourbe humide. Je lutte pour me calmer, réprimer mon envie de hurler, garder mon sang-froid. D'un ton suave, je dis à Caitlin de ne pas s'inquiéter, que je reviendrai vite, puis je file au château. Dans le couloir désert qui mène à la bibliothèque, j'allume toutes les lumières. Fou de rage, je me moque d'attirer l'attention. Je me surprends même à désirer qu'un d'entre eux croise mon chemin pour décharger ma fureur sur lui. Dans le bureau des archives, où je me sens chez moi, je prends mon chargeur sous le carrelage descellé et mets mon téléphone en marche. J'ai reçu plusieurs messages de Jonathan et d'autres amis qui ont regretté mon absence pendant la Nuit des Morts. Le calendrier indique le 5 novembre. J'ai donc disparu depuis onze jours.

La sonnerie de mon téléphone retentit, c'est Jonathan.

– Alastair ? me demande-t-il d'un ton angoissé.

– Oui, je suis là.

– Mon Dieu ! Tu nous as fait une de ces peurs !

Il m'explique que Caitlin a commencé à s'inquiéter mercredi dernier, le 27 octobre, parce que je ne lui avais pas rendu visite depuis deux jours. Lundi, dans la soirée, elle a vu une fille courir le long du sentier au bout duquel elle me voit toujours arriver. La pauvre n'a rien pu faire, il lui est plus difficile que pour nous d'entrer en contact avec le monde physique et de se servir d'un téléphone. Elle a vécu dans l'angoisse jusqu'à la nuit d'Halloween, que les vivants considèrent comme une occasion de s'amuser sans savoir que c'est la seule période de l'année où les morts cohabitent avec eux.

Le 31 octobre, Jonathan et Caitlin sont donc partis à ma recherche. Quelques années plus tôt, je leur avais montré ma tombe. Ils s'y sont rendus, ont vu le tas de pierres et compris que quelqu'un m'avait jeté un mauvais sort. Ils ont essayé de démolir la pyramide, mais les mains de Caitlin passaient au travers et celles de Jonathan étaient incapables de l'atteindre. Nous sommes ainsi, souvent assujettis à des règles incompréhensibles. Après avoir constaté leur impuissance, Caitlin et Jon ont réuni tous nos amis pour tenter de me délivrer. En vain. La Nuit des Morts s'est terminée dans la tristesse générale.

– Tu as vérifié si quelqu'un s'est installé à Crichton ? lancé-je à Jon après l'avoir rassuré sur mon compte et informé que la fille qui m'avait enfermé dans ma tombe est venue ensuite me libérer.

– Non, mais, maintenant que tu es là, on peut y aller ensemble. Auparavant, j'aimerais bien m'occuper de cette fille. C'est celle que tu voulais que je surveille, n'est-ce pas ? reprend Jon au terme d'un court silence.

– Je me chargerai d'elle, Jon. De ton côté, va à Crichton. On se téléphone, d'accord ?

– J'y compte bien, parce que, si tu disparais de nouveau, je te jure que j'obligerai cette fille à rompre le charme, puis je la tuerai.

Je ne lui réponds pas, sachant que, lorsque *nous* sommes en colère, personne n'est en mesure de *nous* calmer. J'ignore comment je vais réagir avec Liadan. J'ai du mal à croire qu'elle ait été aussi fourbe.

Heureusement, aujourd'hui, c'est vendredi et j'ai tout le week-end devant moi pour me ressaisir et éviter de commettre un acte stupide susceptible d'avoir de fâcheuses conséquences pour mes semblables. Je n'aimerais pas avoir à regretter ma conduite, or c'est ce qui se passera si je déverse ma rage sur Liadan. Je sais ce que je suis capable de faire. Dans la soirée, je bavarde longuement avec Caitlin, qui a été stressée par mon absence et a besoin de réconfort. Lui parler me rassérène, j'en suis heureux.

*

Lundi, malgré mes bonnes résolutions, je ne peux m'empêcher de sortir de mes gonds. En dépit de mes efforts, je n'attends pas que les élèves aient déserté le lycée pour donner libre cours à ma fureur. Je monte au deuxième étage en sachant que je risque d'y croiser Liadan, à supposer qu'elle ait eu le courage d'aller en cours. Elle me connaît mal si elle se figure qu'un simple mot manuscrit suffira à me tenir à l'écart.

Sur mon passage, les élèves s'étonnent du froid qui règne brusquement dans les corridors. J'avance d'un air sombre au milieu des lycéens frissonnants et rieurs, puis distingue au loin les cheveux roux et le teint pâle de Liadan, et tout ce qui l'entoure s'efface à mes yeux. Je me rends compte que, dans ma hâte, je suis passé au travers de plusieurs adolescents.

Je regarde avec indifférence l'expression paniquée de Liadan, surpris que mon aspect effrayant ne lui inspire pas la fuite. Pétrifiée, pâle comme un linge, elle prend la main de son amie, qui lui sourit gentiment sans soupçonner ma présence.

Je veux lui faire mal, la voir pleurer. Je m'approche ; on dirait une petite taupe face au hibou qui va fondre sur elle. Soucieuse de ne pas se faire remarquer, elle se garde bien de se précipiter à l'extérieur du lycée. Emporté par mon désir de vengeance, je me délecte d'avance des supplices que je vais lui infliger. Je me penche vers elle, sens son haleine se transformer en souffle glacé et haletant. Ses lèvres se crispent, je soupire, moins étonné par la réaction de Liadan que par celle de son amie : comme un chien sentant l'effroi s'emparer de son maître, elle tremble de la voir ainsi décomposée. Je la scrute en fronçant les sourcils tandis qu'elle resserre sa pression sur le bras de Liadan, puis me détourne d'elle pour me concentrer sur ma victime.

– Comment oses-tu me défier ? hurlé-je, me moquant de faire du bruit.

Elle crie, effrayée. Aith blêmit. Inquiet, je songe qu'elle m'a peut-être entendu. Je lance des regards autour de moi, mais les autres élèves n'ont pas conscience de ma présence. Ils mettent leurs manteaux, prêts à aller demander au concierge s'il y a une panne de chauffage. Liadan a profité de cet instant de distraction pour reprendre ses esprits. Elle veut faire bonne figure devant Aith.

– Va-t'en, murmure-t-elle. Ce n'est pas le moment.

– Quoi ? s'exclame Aith, préoccupée.

– Rien.

– Liadan..., insiste son amie.

Liadan me fixe pendant que j'observe Aith, nerveuse comme une puce. Je me sens mal, non à cause de Liadan, mais du trouble de son amie angélique. Pour ne pas aggraver la situation, je m'éloigne de crainte d'être découvert.

Je n'aurai pas longtemps à attendre. Si je ne me trompe pas, je sais que, dans quelques heures, Liadan aura le courage de venir me retrouver dans la bibliothèque.

CHAPITRE 14
LIADAN

« C'est quelqu'un de gentil. Il est fâché, mais je sais qu'il est gentil », me répété-je quand Alar disparaît en même temps que le courant d'air glacé qui l'accompagne. Pour plaisanter, mes camarades affirment que nous avons été victimes d'un phénomène paranormal. J'essaie de sourire moi aussi, mais je me sens faible, au bord de l'évanouissement.

Une fois en cours, je cache mes mains sous la table pour dissimuler leur tremblement. Assise à mes côtés, Aith n'est guère en forme. Elle a les yeux rivés sur moi, prête à me soutenir au cas où je défaillirais. Elle cherche à me dire quelque chose, mais n'ose pas ouvrir la bouche. Elle pense sans doute à un accès de folie. La pauvre, elle aussi a traversé de mauvais moments après être restée six mois dans le coma. Elle n'est jamais entrée dans les détails, pourtant j'ai appris qu'elle avait alors eu l'impression que son esprit s'était séparé de son corps. Pour ne pas l'alarmer, je tâche de rester sereine et lui affirme que ma réaction est due au froid. Ce n'est pas facile. Aith n'a pas vu Alar, dont la mine terrifiante continue de me hanter. Comment un visage si charmant peut-il devenir effrayant à ce point? Même en regardant un film d'horreur, je n'ai jamais eu aussi peur.

Ses beaux yeux verts se sont assombris, pas seulement ses pupilles, mais aussi ses orbites, devenues des cavités noires allant des sourcils jusqu'aux oreilles. On ne distinguait plus ses yeux, deux taches ténébreuses dans son visage pâle, sévère et menaçant. J'ai cru mourir. L'air glacé qui l'environnait nous a transpercé les os de manière épouvantable. J'entends encore les autres élèves se demander à voix basse d'où venait cette rafale de vent polaire, et, en parlant de fantômes, certains n'avaient pas l'air de plaisanter.

Je frémis sous le regard atterré de mon amie. Je lui adresse un sourire afin de la rassurer, mais son trouble persiste et ses yeux bleus sont emplis d'effroi. Elle est bouleversée. J'aimerais lui dire que je ne suis pas folle, que je perds contenance parce que je vois des morts, mais à cette idée je manque de partir d'un rire hystérique.

*

À l'heure du déjeuner, Aith va mieux. Par chance, elle est crédule, et, lorsque je lui ai affirmé qu'il n'y avait rien de grave, que j'avais seulement pris froid, elle n'a pas mis ma parole en doute. Encore sous le choc, j'inspecte autour de moi. Je me tiens sur mes gardes et sursaute à chaque instant. Mes camarades me trouvent angoissée, mais ça n'a rien d'étonnant à l'approche des examens du premier trimestre – un prétexte bien pratique.

Quel que soit mon état, je compte me rendre à la bibliothèque. Si j'étais plus raisonnable, je ne le ferais pas, mais les sentiments n'obéissent pas au bon sens. D'une part, je refuse de fuir comme une lâche ; j'aime lire et étudier au calme. De l'autre, j'ai un problème à régler avec Alar et ne veux pas qu'il ait une piètre opinion de moi.

J'essaie de me convaincre que telle est la conduite à adopter. Je dois affronter Alar et implorer son pardon. À la fin des cours, je m'assois dans un recoin pour m'y préparer psychologiquement.

J'inspire à fond plusieurs fois de suite, vacille en me levant et poursuis mes exercices respiratoires. Les jambes moins flageolantes à présent, je prends le chemin de la bibliothèque en m'interdisant de trahir ma confusion. Les animaux sentent la peur, il en va peut-être de même pour les fantômes. Je serais prête à jurer que, tout à l'heure, Alar s'est réjoui de me voir paniquer. Après ce que je lui ai fait, sa colère est légitime, mais certaines personnes se fâchent pour regretter aussitôt leur emportement. Il est certain que, chez lui, l'énervement atteint des sommets.

Je songe au danger de la situation, puis me dis que, s'il avait voulu me tuer, ce serait déjà fait.

*

Mes mains tremblent tellement que je peine à introduire la clé dans la serrure. Dès que j'ai poussé la porte, je constate qu'il y a quelque chose d'anormal dans la bibliothèque : l'air est si glacé que de la buée sort de ma bouche. Le cœur battant, les doigts insensibles et frigorifiés, je me hâte d'allumer les lumières. Ne voyant personne au premier coup d'œil, je marche lentement jusqu'à ma table et y dépose mon sac à dos, puis, sans me presser, feignant l'indifférence comme si je n'avais rien à redouter, je me dirige vers le couloir qui débouche sur la salle de lecture. Le froid redouble et me transperce, mais je continue d'avancer, sachant que tôt ou tard je devrai affronter Alar. Arrivée devant le petit bureau des archives, je me rends compte que ma peur est justifiée.

Adossé à la table, Alar me regarde, si tant est qu'il puisse voir quelque chose, car ses yeux sont deux puits noirs. Il est immobile, figé, manifestement déconnecté du monde qui l'entoure. Son sweat-shirt vert et son jean usé n'atténuent pas son aspect effrayant, menaçant. Même si je me suis promis de ne montrer aucune émotion, je gémis lorsque ses lèvres esquissent un sourire diabolique. À l'évidence, il savait que je serais assez bête pour venir. Soudain, son visage s'anime et il fait mine de s'avancer vers moi. Je suis tétanisée.

– Non, soufflé-je en reculant.

Étourdie, je fais volte-face et traverse le salon de lecture sans entendre le moindre bruit dans mon dos, tourne pour atteindre le couloir qui mène à la salle principale. J'abandonne mon sac et mon manteau, préférant affronter les frimas du mois de novembre plutôt que le froid surnaturel qui règne à l'intérieur. Je m'élance vers la porte avant de m'immobiliser en poussant un cri étouffé. Alar est là, il m'attend sans bouger. Son sourire aimable n'est plus qu'un lointain souvenir.

Bouleversée, je fais quelques pas en arrière, aux aguets, je ne peux rester près de lui. Je me cogne contre une étagère. Mon corps tremble de manière incontrôlable à cause de l'air gelé que dégage Alar. La panique m'empêche de réagir. J'enfouis mon visage entre mes mains, les yeux fixés sur le carrelage noir et blanc. J'ai appris dans des documentaires qu'on ne doit jamais regarder dans les yeux une bête féroce en position d'attaque. « Loin des yeux, loin du cœur », songé-je. J'ai conscience qu'Alar me veut du mal.

Je le sens fondre sur moi.

– Tu te rends compte de ce que tu m'as fait ? explose-t-il d'une voix caverneuse.

– Oui, lâché-je.

La sincérité finit toujours par payer, me dis-je. Mais Alar ne paraît pas de cet avis. Les lumières clignotent, puis s'éteignent, nous laissant pour seul éclairage la lueur verdâtre des sorties de secours. J'écarte légèrement mes doigts et le regarde. Sa peau est d'une pâleur alarmante et ses yeux noirs et opaques brillent dans l'obscurité, comme si de l'énergie s'y concentrait. C'est donc ainsi que les fantômes se mettent en colère...

– Tu te rends compte de ce que tu m'as fait ? répète Alar d'un ton incrédule.

Sa voix résonne dans mes oreilles, semblable à l'écho d'un coup de tonnerre.

– Tu es un fantôme ! J'avais peur ! m'écrié-je en me demandant s'il comprend mes paroles étouffées par mes mains devant mon visage. Je t'ai quand même libéré !

Dans la salle s'installe un silence de plomb, uniquement brisé par ma respiration hachée. J'aimerais bien écarter les doigts pour voir si Alar est encore là, mais je suis pétrifiée.

– Tu n'as aucune idée de ce que tu as fait, siffle-t-il soudain d'une voix méprisante. Tiens !

J'écarte à nouveau les doigts et remarque que, tout en restant à distance, il a tendu une main dans laquelle il serre mon épais manteau en pure laine. Je me redresse avec autant de dignité que possible, essaie de maîtriser mes tremblements afin de m'emparer du vêtement, puis, m'armant d'un courage insoupçonné, je relève la tête. Il essaie de rallumer, appuie plusieurs fois sur les interrupteurs, les lèvres serrées. Mon Dieu, cette scène est surréaliste !

– L'électricité reviendra dans un instant, déclare-t-il d'un ton las.

Ses yeux sont encore cernés d'une noirceur d'outre-tombe, mais il donne l'impression de s'être calmé.

– Tu peux être rassurée, je ne vais pas t'agresser.

Je le crois, non parce qu'il est moins menaçant, mais parce que cela m'arrange.

– Tu ne sais pas ce que tu as fait, s'obstine-t-il.

Avant que j'aie pu répliquer quoi que ce soit, il s'avance vers moi, sérieux et inquiétant.

– Tu m'as gommé du monde au seul moment où je suis libre de sortir d'ici et d'aller au-delà des grilles de ce château ! Tu m'as privé de l'unique jour de l'année où je me sens revivre ! Tu as empêché beaucoup de mes proches d'être heureux !

Je suis interloquée. À mon insu, il s'est placé à quelques centimètres de moi. Je recule contre l'étagère, atterrée, et il le sait. C'est sa façon de me punir.

– Ça, je l'ignorais, avoué-je dans un filet de voix.

Il soupire et lève les yeux au plafond, tentant de se calmer. Finalement, il a mauvais caractère, même s'il lui en faut beaucoup pour sortir de ses gonds. En ce sens, il me rappelle quelqu'un...

– Et toi, l'autre jour, tu m'as frappée jusqu'à ce que je m'évanouisse, tu as caché le journal intime de cette jeune fille et cassé mon téléphone !

– C'est vrai, reconnaît-il sans remords. On peut dire que nous sommes quittes.

Je trouve cela discutable, mais je préfère en rester là. Je l'ai vu fâché et n'ai pas envie d'affronter à nouveau sa colère. Les bras croisés, il reste sur la défensive, attend la suite des évènements. À présent, je le comprends. Il se sent en danger ! Jusqu'alors, il a su rester discret, mais il redoute que je le dénonce. Pourtant, je n'ai pas l'intention de sortir de la bibliothèque en hurlant ni d'aller raconter mon histoire. Plus tard, je me raviserai peut-être, mais, pour l'instant, je préfère me montrer diplomate et compréhensive. D'ailleurs, personne ne me croirait. Même devant des scientifiques capables de prouver par A plus B l'existence des spectres, les sceptiques n'en démordent pas. Ils ne risquent donc pas de se rallier à l'opinion d'une jeune fille fantasque.

– Je ne dirai rien à personne, murmuré-je avec franchise.

Aussitôt ses traits se détendent.

– Tu es donc... mort ? lui demandé-je d'un ton que je voudrais détaché.

À ma grande surprise, il tarde à me répondre. Il réfléchit, ce qui m'incite à penser que lui-même n'a pas une idée très claire de sa condition.

– C'est difficile à dire, déclare-t-il, plus sympathique. Je suis en train de te parler, n'est-ce pas ? Cela prouve que j'existe, mais mon corps est mort, tu as vu ma tombe.

« Alastair, amant et ami. » Je sais qu'il dit vrai, cependant je ne peux m'empêcher de trembler en l'entendant parler de son tombeau. Ses os tombés en poussière ou l'urne funéraire contenant ses cendres reposent là depuis des siècles. Il est mort et enterré, mais je n'arrive pas à me faire à cette idée. Après ce qu'il vient de me faire subir, la tête me tourne. Je porte les mains à mes tempes.

– Tu as une force surhumaine ?

Il me regarde avec douceur, comme si j'étais une petite fille.

– Bien sûr que non, mais je faisais la guerre, j'étais fort et je le suis toujours.

– Tes propos n'ont guère de sens, tu sais ? Ta force d'aujourd'hui n'a rien à voir avec celle d'autrefois, parce que ton corps est...

Je m'interromps. Je me suis exprimée avec conviction et ne songe qu'après coup que je risque de le blesser.

Les yeux rivés sur moi, il semble troublé, songeur. Il pense probablement que j'ai raison, mais ne sait pas lui-même en quoi il est différent de ce qu'il a été. Pour les fantômes, l'idée de la mort et de la privation du corps est peut-être floue. Il semble cependant si réel... Il a un corps, je le vois, je l'ai touché, il déborde d'énergie bien que sa véritable enveloppe corporelle soit depuis longtemps décomposée six pieds sous terre.

La porte qui s'ouvre me tire de mes réflexions. En apercevant le concierge, je pousse un petit cri apeuré.

– Mademoiselle *Montblaench*..., me lance James avec inquiétude.

Il pose les doigts sur les interrupteurs pour allumer les lumières. Cette fois, les ampoules s'éclairent. Je suis recroquevillée contre l'étagère, emmitouflée dans mon manteau, tandis qu'Alar croise les bras entre le concierge stupéfait et moi. Je les observe tour à tour, incapable de réagir.

– Il ne peut pas me voir, précise Alar, qui dévisage l'homme avec une familiarité choquante.

– Mademoiselle *Montblaench*? répète James, de plus en plus soucieux.

Je détourne mon regard d'Alar.

– Euh... oui? Il y a eu une coupure d'électricité, je suis restée dans le noir, sans chauffage, alors j'ai pris mon manteau pour ne pas avoir froid, lui expliqué-je calmement. Quand vous êtes entré, vous m'avez fait peur, ajouté-je en mentant, avec un grand sourire.

– Je suis désolé, mademoiselle, dit James en penchant légèrement la tête (j'ai toujours pensé que cet homme aurait pu travailler à Buckingham Palace). La lumière est revenue. Dans ce château, il se passe parfois de drôles de choses.

Je me tourne vers Alar, James regarde dans la même direction que moi sans voir autre chose que la table et le mur tapissé.

– Vous avez raison, il fait glacial, ici. Venez avec moi, mademoiselle *Montblaench*, je vais vous préparer un chocolat chaud, propose James.

Je ne sais pas quoi lui répondre. Je ne peux pas refuser, puisque, *a priori*, il n'y a personne dans la bibliothèque, mais je ne veux pas partir sans avoir dit un dernier mot à Alar. Je reste silencieuse pendant de longues secondes. James et Alar ont les yeux fixés sur moi.

– Vas-y, me conseille ce dernier, conscient que mon comportement commence à paraître singulier.

Je ne me décide pourtant pas à quitter la salle. Mes parents m'ont enseigné la politesse : je dois au moins dire au revoir à Alar et fixer notre prochain rendez-vous.

– On se retrouve demain, Liadan, me suggère-t-il. Je ne suis plus fâché, on rediscutera de tout cela. Pour l'instant, suis cet homme avant qu'il s'imagine que tu as un grave problème.

Il lit dans mes pensées. J'acquiesce d'un hochement de tête, puis, reprenant mes esprits, je souris à James, comme si ce « oui » lui était destiné.

– J'accepte volontiers votre chocolat, James.

Ravi, le vieil homme se détend. Je vais récupérer mon sac et effleure Alar, qui me souhaite bonne nuit. Au prix d'un gros effort sur moi-même, j'emboîte le pas au concierge sans parler à Alar ni lui adresser le moindre regard.

CHAPITRE 15
Alastair

Liadan ne s'en est pas rendu compte, mais moi qui suis observateur, je sais que le concierge a perçu quelque chose de bizarre dans la bibliothèque. Il peut devenir dangereux s'il attire l'attention sur Liadan, comme c'est arrivé à la jeune fille morte dans l'escalier, il y a un demi-siècle. J'expose le problème à Caitlin lorsque je la retrouve au bord du lac, mais elle se moque que Liadan passe pour une folle. En revanche, elle s'inquiète quand elle apprend que j'ai révélé à Liadan l'existence d'un monde parallèle.

– Et si elle en parle à quelqu'un d'autre ou décide de nous chasser? Si des experts viennent faire des recherches dans le lycée? Rappelle-toi: tu m'as dit qu'au château d'Édimbourg et dans la Tour de Londres, les vivants avaient rassemblé des preuves de notre existence. Un jour ou l'autre, on finira par la croire. Tue-la, insiste-t-elle. Elle peut faire une chute dans l'escalier, comme l'autre fille. Si tu ne t'en sens pas le courage, amène-la ici, je m'occuperai d'elle.

– Non ! m'écrié-je d'un ton catégorique.

Les paroles de Caitlin me font cependant douter. Je ne suis pas le seul à être exposé : Liadan, Caitlin, Jonathan, Bobby, le soldat du château et les enfants du cimetière le sont également, de même que tous nos semblables, sur la terre entière. Ce n'est pas pour rien que j'ai passé des siècles à convaincre les nouveaux venus de rester à l'écart des vivants.

Me sentant coupable, j'appelle Jonathan pour avoir des nouvelles de Liadan.

– Cette fille ? Elle vient de traverser le parc en courant comme si elle avait le diable à ses trousses, les yeux rivés au sol, selon son habitude. Elle est étrange.

Je suis rassuré. La singularité de Liadan ne datant pas d'hier, je suis persuadé qu'elle va bien.

*

Je suis surpris de constater que je ne suis plus fâché. Hier, j'ai effrayé Liadan et cela m'a soulagé. Il est vrai que nos émotions se projettent sur les autres de manière violente. J'ai du pouvoir sur Liadan et suis capable de la terroriser, mais je n'y prends aucun plaisir.

Ce matin, au réveil, j'étais curieux de savoir comment allait évoluer notre relation. J'avais oublié tous mes griefs. Je regarde à présent Liadan assister aux cours et discuter avec ses camarades. Posée, timide, elle est dans son état normal. Elle ne cesse pourtant de regarder autour d'elle et j'ai la conviction qu'elle me cherche. J'attends la fin de la journée avec une impatience que je n'ai pas éprouvée depuis longtemps.

Elle arrive dans la bibliothèque dix minutes après la fin des cours et me regarde, à la fois surprise, heureuse et craintive. À l'évidence, elle s'est demandé si je viendrais et de quelle humeur je serais, car je remarque son indécision. Pour la rassurer, je ne bouge pas de la table à laquelle je suis adossé. J'aimerais pouvoir discuter calmement avec elle. Si je perdais sa confiance, je serais privé de mon seul contact avec le monde des vivants.

– Bonjour, dis-je pour lancer la conversation.

Elle cligne les yeux.

– Oh... bonjour ! Je n'arrive pas à croire que tu n'es pas vraiment là alors que je te parle, murmure-t-elle en posant lentement ses affaires sur la table avec des gestes craintifs.

– Nous sommes deux à trouver ça bizarre.

– Toi aussi ? me demande-t-elle en plongeant ses yeux dans les miens. Tu n'avais jamais adressé la parole à un vivant ?

– Tu es la première avec qui je parviens à avoir une conversation digne de ce nom, lui avoué-je.

Mais je reste sur mes gardes, conscient qu'au moindre faux pas de ma part, elle risque de m'interroger sur le journal intime, qu'elle semble pourtant avoir oublié.

– Je suis heureux que tu me traites normalement, poursuis-je.

Mes propos la rassurent, elle se détend.

– Moi aussi, ça me fait plaisir qu'on parle ensemble. J'ai fait quelques recherches et je sais que tu es une « infestation », m'annonce-t-elle avec fierté.

Moi qui voulais apaiser ma fureur pour que tout se passe au mieux entre nous, je redoute le pire.

– Merci, lâché-je, une pointe d'ironie dans la voix, feignant d'être amusé par une bonne plaisanterie.

– Je parle sérieusement.

Son visage empreint d'inquiétude donne l'impression qu'elle a envie de prendre ses jambes à son cou et de déguerpir.

– Ce n'est pas une insulte, précise-t-elle, je l'ai lu dans un livre.

Je hausse les sourcils, attendant qu'elle m'explique. Qu'elle se soit documentée à notre sujet est plutôt bon signe, à condition qu'elle n'aille pas plus loin.

– Les infestations sont les apparitions les plus courantes, affirme-t-elle, à croire qu'elle connaît mieux le sujet que moi. Ce sont des fantômes de type obsessionnel, c'est-à-dire... reliés à des individus ou à des lieux. Toi, tu es rattaché au château, n'est-ce pas ?

– Tout à fait, lui confirmé-je. (Elle est vraiment bien informée !) Plus exactement à la grande tour qui existait avant qu'il soit construit. Je suis mort dans les environs, au cours d'une bataille.

– Ah bon ? s'étonne-t-elle, désarçonnée.

Elle semble oublier que je ne suis plus de ce monde, ou alors son esprit refuse d'accepter cette réalité. Après m'avoir considéré comme l'un des siens, il lui est difficile de voir en moi un défunt. Elle cligne à nouveau des paupières et se perd dans ses pensées.

– Je suppose que la plupart d'entre vous ignorent l'existence des vivants, ajoute-t-elle au bout d'un moment.

– Comme beaucoup des vôtres nous ignorent, rétorqué-je en songeant qu'elle est encore plus bizarre que moi. C'est préférable, tu comprends ?

Je ne pose cette question que pour la forme, sachant que Liadan est consciente de cette réalité. Elle me regarde d'un air grave, sans ciller.

– Oui, je comprends, susurre-t-elle, comme si elle cherchait à s'attirer ma confiance, à me promettre qu'elle n'ébruitera pas notre histoire.

Le court silence qui suit cette communion d'esprits est rompu quand l'infatigable curiosité de Liadan se manifeste :

– La jeune fille morte qu'on voit parfois sur le lac existe, pas vrai ?

Je n'aime pas le terme de « jeune fille morte ». Avant de passer de vie à trépas, Caitlin a été une personne.

– Elle s'appelle Caitlin. Je l'ai vue naître, grandir au château, jouer au bord du lac. C'était une fillette gaie et pleine d'innocence. Quand je l'observais, j'avais l'impression de revivre. En 1785, alors qu'elle avait quinze ans, ses parents ont autorisé un jeune bourgeois à la courtiser. Un soir, il a essayé d'abuser d'elle pendant qu'ils prenaient le frais sous la pergola, qui se trouvait à l'époque de l'autre côté du lac. Caitlin a pris la fuite, mais, bouleversée, elle n'a pas regardé où elle mettait les pieds et est tombée à l'eau. Ce n'était qu'une enfant. Elle portait une robe très lourde qui l'a entraînée au fond.

Liadan a posé une main devant sa bouche et ses yeux reflètent son émotion. Je lui épargne la suite de ce récit douloureux, car j'étais présent quand on a repêché le corps couvert d'algues et de boue de la belle et pétillante Caitlin.

– Depuis ce jour-là, elle est prisonnière du lac. À sa première apparition, elle avait oublié les raisons de sa mort. Je lui ai dit qu'elle s'était noyée sans m'attarder sur les détails.

– Oh, que c'est triste ! s'exclame Liadan avec sincérité. Je pourrais la rencontrer ?

– Il ne vaut mieux pas, réponds-je sans l'ombre d'une hésitation.

Liadan ne comprend pas que Caitlin n'est plus une adolescente naïve et candide. En mourant, nous perdons beaucoup de nos particularités humaines.

– J'aimerais lui apporter du réconfort, lui parler. Je connais une autre apparition qui m'apprécie, m'apprend Liadan. Elle relève le menton, comme pour me défier.

– Qui est-ce ?

– Bobby. Il est très content que je vienne le caresser. J'ai aussi vu Annie, et je suis sûre qu'il y a des tas d'autres fantômes à Édimbourg, à commencer par ce type habillé en soldat, dans Bruntsfield Park...

– Jonathan, soufflé-je malgré moi, mais je ne pense pas que Liadan m'ait entendu.

Elle se méfie de lui, bien que Jon soit persuadé qu'elle ne l'a jamais regardé. Sa témérité et sa perspicacité m'atterrent : aucun vivant ne saurait rester impassible devant

Annie, or Liadan me parle d'elle comme si cette douce fillette couverte de pustules n'était ni sinistre ni effrayante. Qu'elle ait reconnu Bobby me déplaît tout autant, car rien chez ce petit chien ne trahit sa condition de fantôme. Si elle continue de jouer avec le feu, elle va finir par croiser des entités dangereuses.

– Liadan, oublie ces apparitions, évite d'engager la conversation avec des étrangers et cesse de chercher à savoir s'ils sont vivants ou morts.

– Comment veux-tu que j'oublie que je vois des morts ? me demande-t-elle en haussant les sourcils, souriante. Tu es resté près d'un quart d'heure sous l'eau et cette scène me hante sans que je sois certaine de l'avoir vécue. Je n'arrive toujours pas à croire que tu n'es pas vraiment là.

– Je suis sérieux, Liadan. Les miens ne sont pas tous aussi gentils que Bobby ou moi.

– Toi ? s'écrie-t-elle.

Elle se met à trembler, songeant peut-être à ma fureur d'hier.

– Oui, moi. Je suis un être pacifique, comparé à d'autres.

– Très bien, admet-elle à contrecœur. Figure-toi que pendant que tu avais... disparu, j'en ai profité pour lire le traité de parapsychologie, murmure-t-elle avant de poursuivre d'un ton précipité : Je trouve qu'il est à sa place avec les livres de philosophie.

Elle hoche la tête, convaincue, et je ne peux réprimer un sourire. Sa générosité, son amabilité et son désir de créer un pont entre nos deux mondes me touchent. Bien que je sache qu'au-delà de ces murs, les choses ne sont pas aussi simples, j'apprécie notre petite bulle amicale, qui nous permet d'en apprendre davantage l'un sur l'autre. Elle n'est pas morte. Quant à moi, j'ai vécu il y a des siècles. Nous faisons partie de deux univers étrangers l'un à l'autre et, pour des raisons qui m'échappent, nous avons eu la chance d'être en contact. Cela ne se renouvellera pas de sitôt et je compte bien en profiter.

*

Le lendemain, nous nous retrouvons pour discuter, de même que le surlendemain et les jours suivants. Je ne suis plus tendu en sa compagnie et Liadan a cessé de se tenir à distance. Seule la table du bibliothécaire nous sépare. Grâce à ses innombrables questions et à ses commentaires pleins de sagesse, j'apprends beaucoup de choses à mon sujet.

Je n'avais encore jamais réfléchi à mon pouvoir de traverser les surfaces solides. Mais, la curiosité de Liadan étant insatiable, mon amie exige d'inlassables explications et veut comprendre pourquoi je suis capable de passer au travers des murs alors que je ne m'enfonce pas dans le sol. Après avoir examiné le problème, je finis par lui dire qu'étant une sorte de produit psychique de mon esprit éteint, je suis moins dense que la matière et je flotte, comme une nappe d'huile sur de l'eau. Pour illustrer ma théorie, je pénètre dans une étagère et m'élève ensuite au-dessus. D'en haut, je vois Liadan frémir. (Parfois, elle oublie que je suis mort, et moi, qu'elle est vivante.) Mais nous nous ressaisissons vite et entérinons mon hypothèse. Ensuite, nous nous engageons dans une conversation comme deux jeunes gens normaux faisant connaissance.

J'étais par ailleurs loin d'imaginer que mon obsession à me rendre quotidiennement à la bibliothèque pour mettre de l'ordre dans les livres n'était pas naturelle. Selon Liadan, elle serait due à une sorte de force d'inertie acquise au fil du temps. Une espèce de flirt avec la folie, en somme, bien qu'elle ne le formule pas ainsi, comparable à la manie du voleur Adam Lyal, qui apparaît la nuit au coin de Grassmarket, où il a été pendu, ou à l'habitude qu'a prise le vieux fantôme du cordonnier qui hante le Royal Mile : il ne peut s'empêcher de toucher les souliers des touristes. Je songe à ces esprits sans en parler à Liadan afin de ne pas attiser la curiosité qu'elle a pour les miens. J'avoue être un peu jaloux de la voir captivée par les fantômes. Chaque jour, je l'apprécie davantage, elle me fascine. C'est une jeune fille spéciale, j'aimerais la comprendre mieux et souhaite la garder pour moi.

J'adore les soirées que nous passons à la bibliothèque, et même Caitlin se rend compte de mon bonheur. J'ai l'impression qu'elle sait pourquoi je suis heureux, mais elle se garde d'aborder le sujet pour ne pas se fâcher avec moi. Parfois, je lui fais part de nos découvertes, dont elle ne peut nier l'intérêt.

Caitlin est séduite par la théorie de Liadan, qui estime que la capacité des vivants à entrer en contact avec les « infestations » (c'est-à-dire nous, à mon grand regret) est liée au fait que, même privés de notre corps, nous continuons de le sentir. « Comme les soldats qui veulent se servir de la main dont ils ont été amputés », m'a expliqué Liadan. Depuis que je lui ai rapporté ces propos, Caitlin n'arrête pas de s'entraîner à bouger ses doigts, pensant que je ne la vois pas. Cette réaction est normale, parce qu'elle ne peut pas toucher les objets solides, sauf la fois où elle a agrippé le mollet du jeune homme qu'elle a voulu entraîner sous l'eau. J'espère qu'elle ne s'exerce pas dans l'intention de renouveler l'expérience. Je n'aborde pas le sujet, je lui fais confiance.

En retour, je fournis des informations à Liadan, qui s'interroge sur notre notion du temps. Elle songe probablement à Bobby, qui reste des journées entières posté devant le restaurant. Je lui réponds que nous n'avons pas conscience du passage du temps.

Vendredi, ma joie disparaît à la perspective de me retrouver seul. Cela fait des siècles que je n'ai pas été aussi désespéré. Liadan ne reviendra pas au lycée avant lundi et il m'est impossible de l'accompagner là où elle va. C'est douloureux.

– Qu'est-ce que tu comptes faire, ce week-end ?

– Aith et moi devons commencer notre devoir d'histoire, souffle-t-elle en faisant la moue. J'aimerais tellement que tu la connaisses ! Je lui ai parlé de toi, mais tu n'as aucune inquiétude à avoir, elle ne viendra jamais ici, ajoute-t-elle en constatant que les lumières clignotent. À l'heure où je suis à la bibliothèque, elle téléphone à Brian, son fiancé, et crois-moi, elle ne renoncera jamais à un appel pour rencontrer un habitué du bureau des archives.

Soudain, elle garde le silence et me fixe avec une expression indéchiffrable. Les pensées qui l'occupent sont un mystère pour moi. Peut-être se rend-elle compte de notre situation et vient-elle de réaliser qu'à la fin de l'année, nous serons séparés pour toujours. Tôt ou tard, le charme devra être rompu, mais je voudrais profiter d'elle le plus longtemps possible.

– Qu'est-ce que tu as ? murmuré-je d'une voix douce.

– Je crois que tu pourrais nous aider ! s'exclame-t-elle, et son visage s'éclaire. Toi qui as *vécu* l'Histoire, tu vas nous donner quelques pistes.

Je ne m'attendais pas à ça et sens déferler en moi une vague de tendresse.

– Bien sûr, tu n'as qu'à me dire de quoi il s'agit.

Elle me sourit, je suis ravi du tour que prend notre relation. J'aimerais que Liadan soit toujours à mes côtés.

CHAPITRE 16
LIADAN

J'ai promis à Alar de ne plus m'occuper des morts qui pullulent à Édimbourg, mais je ne suis pas sûre de tenir parole. Bon sang, à quoi s'attend-il ? Depuis le temps que je vois des morts parmi les vivants, j'ai envie d'être capable de les distinguer les uns des autres. C'est sans doute dû à ma passion pour la science, mais aussi à ma curiosité maladive.

Aith étant partie chez ses parents, j'ai tout le week-end devant moi et décide de poursuivre mes recherches en terrain connu. Je considère déjà Bobby comme un ami, mais ne me suis pas encore présentée à Annie.

Être la protégée du professeur McEnzie comporte des avantages dont je compte tirer parti. À l'heure du déjeuner, je suis allée trouver Malcolm dans son bureau pour lui parler de mon devoir d'histoire et lui ai déclaré qu'il me serait utile de visiter le Mary King's Close sans être entourée de touristes. Malcolm sait combien je suis raisonnable et studieuse, aussi s'empresse-t-il d'appeler le responsable du passage le plus célèbre d'Édimbourg pour lui demander qu'on me permette de descendre dans la ruelle après les visites.

Sur le coup de sept heures, en tenue de jeune lycéenne sage et appliquée, je me rends sur place. L'ami de Malcolm m'accueille avec gentillesse et me dit tout le bien que mon « père adoptif » pense de moi. Il est presque gêné de devoir me recommander de ne toucher à rien.

– Pas de problème, lui réponds-je avec aplomb.

Je ne mens pas : je ne toucherai à rien qui soit visible à ses yeux.

En gagnant les vestiges de la petite ruelle souterraine et abandonnée, je manque d'air. Comment des gens ont-ils pu survivre dans cet endroit insalubre ? J'ai pouffé lorsque les guides m'ont indiqué qu'ils arrêteraient la sonorisation afin que je sois plus à l'aise. À présent, je leur en suis reconnaissante. Quand on les parcourt en solitaire, les lieux sont déjà assez inquiétants sans qu'on ait besoin d'entendre des murmures, des bruits de pas, d'écoulement d'eau ou de portes qui grincent. Je me dirige d'un pas résolu vers la petite chambre d'Annie en regardant de tous côtés au cas où d'autres fantômes rôderaient dans les parages. Je ne vois personne et m'en réjouis, n'ayant aucune envie d'affronter de soudaines apparitions. Je garde présents à l'esprit les conseils qu'Alar m'a prodigués.

Je tremble en entrant dans la pièce hantée par Annie. Je suis pourtant allée à sa rencontre, mais la part rationnelle de mon être espérait secrètement ne trouver que le coffre rempli de jouets et la vieille paillasse de l'enfant. Annie est pourtant là et contemple avec envie les poupées qu'elle ne peut pas toucher, comme elle le fait sans doute chaque jour depuis des siècles. « Nous n'avons pas la notion du temps qui passe », a dit Alar. Annie ne semble pas consciente qu'elle aura beau redoubler d'efforts, sa situation ne changera pas. Agenouillée près de ce coffre presque plus grand qu'elle, elle porte un vêtement sale et élimé et a le visage couvert de bubons, la peau pâle, le cou gracile. C'est l'illustration vivante de la tristesse. Un nœud se forme dans ma gorge.

Annie doit sentir ma présence, mais ne se tourne pas vers moi. Cela fait longtemps qu'elle ignore les visiteurs. Je suis sûre qu'au début, elle réclamait des câlins, les marques de tendresse dont toute fillette a besoin. Par la suite, elle a dû se lasser de passer au travers des gens indifférents. Je ne sais pas comment l'aborder : je ne veux pas l'effrayer, mais je ne souhaite pas non plus qu'elle me fasse peur. Si un vivant lui parle tout à trac, elle sera troublée, épouvantée. Je décide donc de me montrer douce et patiente.

– Annie..., murmuré-je, bien qu'elle ait déjà entendu son prénom des centaines de fois. Petite Annie, je suis venue ici pour te voir. Lève-toi et viens bavarder avec moi.

Je fais quelques pas en avant, puis m'arrête net. Elle me regarde d'un air sombre, aussi craintive qu'agressive. Elle se rend compte que je ne détache pas les yeux de sa personne et que c'est bien à elle que je m'adresse. Quand elle se lève, mon cœur s'emballe. Ses yeux s'emplissent d'un noir d'encre, semblables à ceux d'Alar quand il s'est mis en colère. J'ai envie de déguerpir. J'arrive pourtant à me persuader qu'elle est plus horrifiée que moi.

– Bonjour, Annie. Je suis venue parler et jouer avec toi.

Elle paraît suffoquée, ses cavités oculaires sont deux nébuleuses noires traversées par instants de taches plus claires, preuve qu'elle hésite entre l'effroi et l'espoir. Un froid mordant règne dans la pièce. J'ignore comment je parviens à garder mon calme. Pour éviter qu'elle ne se sente agressée, je m'accroupis devant elle, la main tendue comme pour amadouer un chien timoré. Elle émet un son abominable.

Je lutte contre mon instinct de survie qui m'incite à fuir, mais elle s'avance lentement vers moi, menaçante. Au lieu de marcher, elle flotte dans l'air, ses yeux obscurs rivés sur moi, animée d'une expression qui trahit sa peur. Je reste impassible en voyant sa main couverte de croûtes noires : après tout, elle est morte, c'est une créature immatérielle incapable de propager le bacille de la peste ou même de salir ma veste. Je sens pourtant un léger chatouillis lorsque ses doigts traversent les miens. Ses orbites s'assombrissent davantage quand elle constate qu'elle ne peut me toucher. À présent, elle me fixe avec des yeux limpides.

Elle s'assoit en face de moi et m'observe un long moment, rassurée. Elle commence à s'habituer à cette situation inattendue. Je suppose que les enfants fantômes sont aussi souples et ouverts que ceux qui sont encore en vie. Pour eux, rien n'est impossible.

– Vous voulez bien jouer avec moi, madame ? me demande-t-elle d'une voix blanche et hachée, comme si elle craignait un refus de ma part.

– Bien sûr, Annie.

En réfléchissant à un jeu qui pourrait lui plaire, je m'aperçois de la distance temporelle et spatiale qui nous sépare. Elle passe au travers des objets palpables ; elle est morte très jeune et pauvre, ce qui implique qu'elle n'a guère eu l'occasion de s'amuser. Je dois donc faire preuve d'imagination. Je songe à lui proposer une partie de cache-cache, mais l'idée de la chercher me donne le frisson, sans compter que je risque de tomber sur d'autres âmes en peine. Pour finir, je lui explique les règles de « Un, deux, trois, soleil ».

Chaque fois que c'est mon tour de patienter face au mur, je suis paniquée. Quand je me retourne, je constate qu'Annie se rapproche de plus en plus et adopte des postures qui, sans qu'elle s'en rende compte, sont sinistres. Je vois à travers son corps et la sens me surveiller sans bouger. Je m'efforce de sourire et fais semblant de m'amuser. Elle joue cependant avec l'innocence de n'importe quel autre enfant. Elle parvient à garder une parfaite immobilité. Retenir sa respiration ne lui pose évidemment aucun problème, mais sa joie et son espièglerie finissent par la trahir et la faire pouffer. Je suis ravie de lui apporter un peu de bonheur.

Quelques instants plus tard, alors que je commence à me décontracter, j'entends une voix. Je consulte ma montre et suis surprise qu'il soit déjà presque neuf heures. Annie a dû sentir que j'allais mettre un terme à notre jeu, car elle s'est rembrunie et la température a baissé.

– Il faut que j'y aille, lui dis-je, inquiète à l'idée qu'elle ne veuille pas me laisser partir. Mais je reviendrai bientôt.

– Non ! gémit-elle.

Les échos de sa voix résonnent dans la ruelle, de la buée sort de ma bouche. Je redoute que le guide descende me chercher.

– Je dois m'en aller, Annie, mais je te promets de revenir, murmuré-je tandis qu'elle cherche en vain à m'agripper la jambe.

– Maman a dit la même chose et elle n'a pas tenu parole. Où est-elle ?

Ses sanglots me brisent le cœur. Sa mère l'ayant abandonnée à son triste sort, je ne suis pas surprise qu'elle réagisse ainsi, mais il est indispensable qu'elle se calme. Je ne peux pas expliquer à Annie que, si le responsable des lieux me voit discuter avec elle, il me prendra pour une folle et ne m'autorisera plus à lui rendre visite. Je ne pense pas qu'elle sache qu'elle est morte. Transie, je vois les lumières vaciller. La petite défunte est si désespérée que ses yeux se changent à nouveau en puits noirs, mais je détourne la tête.

– Je te jure que je vais revenir, Annie. Regarde, lui dis-je en m'approchant du coffre avant d'y déposer la bague en argent que j'ai lancée dans le lac pour abuser Alar. Tu en prendras soin jusqu'à ma prochaine visite, c'est d'accord ?

Annie hoquette, puis hoche la tête en signe d'assentiment, préférant me croire plutôt que de se désespérer de mon départ. Lorsque je passe près d'elle, j'essaie de lui caresser les cheveux. Je me hâte parce que la voix du guide résonne non loin de nous. Après avoir atteint la porte, je me retourne pour jeter un dernier coup d'œil à ma nouvelle amie. Agenouillée, elle scrute ma bague comme si le bijou risquait de disparaître.

– Je vais revenir, répété-je avant de tourner les talons.

Je ne lui mens pas. Le chagrin que j'éprouve est plus grand que la peur que j'ai eue en arrivant.

CHAPITRE 17
ALASTAIR

J'ai été inquiet tout le week-end, m'imaginant Liadan en danger, redoutant qu'il lui arrive quelque chose et qu'elle ne revienne pas. Je suis si tourmenté qu'autour de moi, la brusque coupure d'électricité effraie les gardiens. J'ai l'impression que je ne connaîtrai jamais la paix. Quand je songe qu'à la fin de l'année, Liadan partira pour toujours, des projets honteux et inquiétants se bousculent dans ma tête. J'ai beau me répéter que je ne suis pas cruel, que je refuse d'entraîner Liadan dans mon éternité ingrate, ils continuent de me hanter. Si je commettais un tel acte, je ne suis même pas certain qu'elle resterait à mes côtés, car Dieu seul peut décider du destin des âmes défuntes.

Lundi, je suis soulagé de la voir apparaître. En retard, comme d'habitude, elle marche à vive allure et lutte avec le fil de son iPod. Les heures de la journée s'écoulent lentement, rythmées par la sonnerie de la cloche annonçant la fin ou le début des cours. Puis la clé tourne dans la serrure de la porte de la bibliothèque, la lumière s'allume, éclairant sa silhouette. Aujourd'hui, elle porte un pull noir à col roulé et une longue jupe gris sombre qui lui va à ravir. Elle m'adresse un sourire radieux, que je lui rends aussitôt en me disant que nous ne devrions pas être si heureux, car je sens qu'un drame va survenir. Notre relation n'est pas naturelle, pourtant je ne peux m'empêcher de laisser éclater ma joie.

Je m'efforce d'oublier ces mauvais pressentiments avant qu'elle s'aperçoive que je suis inquiet. Je m'assois sur la table du bibliothécaire tandis qu'elle s'installe sur la chaise pour m'expliquer qu'Aith et elle n'ont pas encore choisi leur sujet d'histoire. Elle ajoute qu'elle a passé le week-end à lire dans sa chambre.

– Alar, déclare-t-elle tout à coup. L'autre jour, tu m'as frappé à la tête, n'est-ce pas ?

Je me demande pourquoi elle me pose cette question, puisqu'elle en connaît déjà la réponse.

– Oui.

Contrairement à mes prévisions, elle ne se fâche pas, mais se contente de froncer les sourcils.

– C'est bizarre... Tu m'as frappée, je peux caresser Bobby, mais je suis incapable de toucher Annie. J'aimerais bien savoir pourquoi...

Je prends conscience que son samedi et son dimanche n'ont pas été aussi paisibles qu'elle vient de l'affirmer.

– Excuse-moi, Liadan, mais qu'est-ce que tu viens de dire ?

Elle me lance un regard étonné. Je lis en elle comme dans un livre ouvert: elle s'en veut de s'être trahie et essaie de trouver un moyen de se tirer d'affaire. Elle ne semble pas craindre ma colère, aussi décidé-je de redoubler de sévérité. Elle tremble de froid, mais ne décèle rien de menaçant dans cette baisse subite de température.

– Tu es allée voir Annie ?

Liadan hausse les épaules.

– Cette petite fille m'attriste, Alar, lâche-t-elle en guise d'explication.

Je la crois sincère. Elle se rembrunit.

– Elle est si seule, poursuit-elle. Elle ne comprend même pas pourquoi. Vendredi, on a joué à « Un, deux, trois, soleil ». J'y suis retournée hier. Ça me fait tellement plaisir de lui apporter un peu de joie.

J'ignore de quel jeu il s'agit et me demande comment accueillir la nouvelle. Pendant la Nuit des Morts, la seule où Annie ait un peu de compagnie, elle nous rejoint, et Caitlin et Jonathan essaient de la divertir. Voilà pourquoi je la connais bien, et je peux dire qu'elle est sinistre et n'a rien de charmant. Pourtant, Liadan la considère comme n'importe quelle autre fillette et cela m'emplit d'émotion. J'ai beaucoup de respect et d'admiration pour cette jeune fille aussi courageuse qu'un des miens, mais je pressens les dangers qui la guettent. J'ai peur. J'espère parvenir à lui faire comprendre certaines choses.

– Liadan, commencé-je d'un ton très sérieux. Ta conduite est périlleuse, tu n'as pas idée de ce dont nous sommes capables. As-tu déjà entendu parler de gens qui meurent de façon subite, sans raison apparente ?

– Oui, on pense que c'est... Qu'est-ce que tu cherches à me dire par là ? s'écrie-t-elle en écarquillant les yeux.

– La plupart des morts aimeraient continuer à vivre, or la jalousie est malfaisante.

Elle frémit, alarmée, mais pas assez à mon goût. Son obstination m'agace.

– Tu te rends compte que, si des passants te voient caresser Bobby ou jouer avec Annie, ils vont te prendre pour une détraquée ? Tu ne serais pas la première, Liadan.

– Calme-toi, Alar. Je t'aime mieux quand tu as les yeux verts.

À l'évidence, elle ne saisit pas la gravité de mes propos. Elle vient manifestement d'avoir une idée, car son beau visage s'anime soudain d'une expression songeuse qui me prouve qu'elle se désintéresse de notre conversation et se concentre sur ses propres pensées.

– Annie est différente de toi, murmure-t-elle. Je pensais que tu avais cette apparence parce que tu étais une apparition, mais, à part ses pustules, Annie semble tout à fait normale.

– Et moi pas ?

Je trouve son étrange raisonnement aussi amusant que fascinant.

– Toi, tu es... incroyable. Tes cheveux ont une couleur insolite, de même que tes yeux.

Elle lève la tête, surprise de me voir hausser les sourcils.

– Bien sûr, c'est un compliment. Tu es très beau..., murmure-t-elle sans rougir (j'ai remarqué qu'elle n'a pas honte d'exposer ses sentiments). Tu as déjà dû t'apercevoir que tu es séduisant, non ?

Je souris malgré moi.

– Tu sais, je ne me suis jamais vu, Liadan, susurré-je.

– Quoi ?

– Je ne me suis jamais vu. À mon époque, les miroirs n'existaient pas. Et, quand ils sont apparus, je n'étais déjà plus de ce monde. Caitlin m'a décrit mon allure et, de mon vivant, on vantait ma beauté, réponds-je en portant une main à mon visage qui me paraît si irréel. Je suis comparable à un aveugle, Liadan, j'ai conscience de mon corps quand je le touche, mais je ne me suis jamais regardé dans une glace. En revanche, j'ai le bonheur de voir les autres, à commencer par toi.

Elle a l'air décontenancée, à croire qu'elle a encore oublié que je suis mort. Que je n'aie jamais pris connaissance de mon image éveille en elle une profonde compassion, car elle se penche vers moi, étudie mon bras avec minutie, comme pour élucider une énigme historique. Elle me tend la main et, plongeant ses yeux dans les miens, m'implore de la laisser me toucher. Je réalise alors que, depuis le jour où je l'ai frappée, nous n'avons pas eu d'autres contacts physiques. Je hoche la tête et elle s'approche.

Quand ses doigts se posent délicatement sur mon pull sombre, je sens monter une vague de froid, mais c'est si agréable que je pousse un soupir d'aise. J'espère qu'elle n'a rien entendu. Elle exerce par endroits une légère pression, sans doute pour s'assurer qu'elle ne peut passer au travers de mon corps. Je pourrais l'autoriser à le faire, mais je préfère qu'elle me croie solide.

– Tu sembles tellement… vrai, souffle-t-elle en s'écartant.

Nous regrettons tous deux de mettre fin à cette agréable expérience.

– Eh oui, je ne suis pas le fruit de ton imagination.

– Comment étais-tu avant de mourir ? « Alastair, amant et ami », récite-t-elle. Tu avais une fiancée ? Des amis ?

– Des amis, oui. L'armée rapprochait les hommes et, à mon âge, j'aurais déjà dû avoir des enfants. Mais nous étions en guerre, soumis aux seigneurs du Sud, et nous détestions le mariage à cause du droit de cuissage. Aucun homme n'a envie que le seigneur emmène sa femme et la déflore pendant sa nuit de noces.

– Tu aimais la tienne ? me demande Liadan à brûle-pourpoint, songeant sans doute à celle qui me considérait comme son amant.

– Je l'ignore. C'était un mariage arrangé. À l'époque, on ne s'unissait pas par amour. J'imagine que j'avais de la tendresse pour elle et que c'était réciproque. Je me rappelle qu'elle venait souvent sur ma tombe. Je m'asseyais auprès d'elle et je la regardais. Je désapprouvais qu'elle perde ainsi son temps. Puis, au fil des années, ses visites se sont espacées, son visage s'est peu à peu ridé et elle a eu un enfant. Oui, je suppose qu'elle devait m'aimer, autrement elle ne me serait pas restée fidèle aussi longtemps, mais je lui souhaite d'avoir été heureuse avec son nouveau mari.

– Quelle injustice ! Si ça se trouve, elle n'aimait pas cet autre homme ! s'exclame Liadan.

Il est vrai qu'aujourd'hui, les femmes ont des droits.

– Je ne crois pas qu'elle se soit posé cette question. De mon temps, les femmes épousaient celui qu'on leur destinait. Personne ne protestait. Moi-même, leur soumission ne m'a dérangé qu'après le triste décès de Caitlin. Avant, je ne m'en étais jamais soucié. Cet homme désagréable la harcelait... Et ses parents faisaient semblant de ne rien voir, ce qui m'énervait, car Caitlin était très douce... Elle ne méritait pas de mourir ainsi, incomprise des siens...

– Présente-la-moi, me coupe Liadan. Je veux connaître ta petite amie. Tu ne taris pas d'éloges sur elle et je suis sûre que c'est une fille magnifique.

– Pas du tout. Et ce n'est pas ma petite amie.

Je m'empresse de clarifier les choses et j'ai l'impression que ma hâte fait plaisir à Liadan.

– Ah bon ? lâche-t-elle d'un ton qui se veut indifférent.

Quelques secondes s'écoulent au cours desquelles nous nous gardons de dévoiler nos sentiments.

– J'aimerais la connaître, allez, s'il te plaît ! insiste-t-elle d'une voix suave qui m'ébranle.

Elle m'implore du regard et cligne les paupières. Elle attend ma réponse, comme si j'étais un garçon ordinaire à qui elle vient de demander un service banal. À cet instant, j'ai la confirmation qu'elle a confiance en moi, peut-être autant qu'en son amie Aith. Je m'en réjouis tout en sachant que je ne devrais pas, puis réfléchis au problème. Présenter Caitlin à Liadan n'est pas une mauvaise idée. Cela me permettra au moins de mettre un frein à sa curiosité. Si je refuse, Liadan est capable de se rendre seule au bord du lac. En outre, depuis plusieurs jours, Caitlin souhaite également la rencontrer et m'a promis de ne pas lui faire de mal. Elle m'envie d'avoir une interlocutrice parmi les vivants et je ne lui jette pas la pierre. Je pense d'ailleurs qu'elles vont bien s'entendre.

– D'accord, mais pas aujourd'hui, précisé-je en voyant Liadan se lever précipitamment. Laisse-moi d'abord préparer Caitlin à cette rencontre. Demain, on se retrouvera près du lac en fin d'après-midi, mais sois discrète.

*

Le lendemain, je suis nerveux, indécis. En apprenant la nouvelle, Caitlin, en revanche, se réjouit. Je la sais pourtant imprévisible, peu apte à maîtriser ses réactions. Lorsque j'aperçois au loin la silhouette de Liadan, vêtue de couleurs sombres, ses cheveux roux pâle brillant dans les derniers éclats du jour, je m'assure que Caitlin se tient à distance pour éviter tout débordement, mais je n'arrive pas à tempérer mon anxiété.

– Caitlin...

– Ne t'inquiète pas, Alastair, je ne ferai rien à ta petite fiancée.

Je suis troublé à la pensée que Caitlin a décelé avant moi la tendresse que je porte à Liadan. Quant à cette dernière, mon état fébrile ne lui a pas échappé, mais elle continue de me sourire en s'avançant vers nous. Elle a un sang-froid admirable. Malgré sa condition de femme, elle aurait été une parfaite guerrière. Sans détourner les yeux, elle s'arrête face à la forme étrange qui se dresse derrière moi.

– Bonsoir, Alar.

– Bonsoir, soupiré-je en m'écartant légèrement. Liadan, je te présente Caitlin. Caitlin, voici Liadan.

Liadan regarde fixement Caitlin, dont le visage s'assombrit tandis qu'elle lisse avec nervosité sa robe trempée. C'est la première fois qu'elle s'entretient avec un vivant qui perçoit sa présence. D'instinct, elle reste sur la défensive et pourrait à la moindre anicroche devenir agressive. Par chance, son envie de bavarder avec une autre fille semble l'emporter sur sa violence.

– Bonsoir, Caitlin, dit Liadan en brisant la glace. Ravie de faire ta connaissance.

Elle lui tend la main, mais Caitlin passe au travers. Liadan ne cille pas en sentant l'humidité laissée sur sa peau. Mon amie est triste de n'avoir pu la toucher, mais Liadan refuse qu'elle sombre dans l'amertume. Elle esquisse un sourire aimable, et tout spectateur assistant à la scène dirait qu'elle a un don pour communiquer avec les miens.

– Tu as une robe merveilleuse, lâche-t-elle d'une voix franche et posée. Tu es très belle.

– Vraiment ? s'étonne Caitlin, flattée, car, même morte, elle reste une jeune fille de quinze ans. Merci beaucoup. Toi aussi..., lâche-t-elle dans un murmure en la regardant de haut en bas. Tu le serais encore plus si tu ne t'habillais pas comme un homme. Tu devrais mettre de la dentelle.

Liadan accueille la réflexion avec humour. À l'évidence, son interlocutrice ne s'est pas tenue au courant des changements vestimentaires depuis la fin du XVIIIe siècle. Elle pouffe et écarte les pans de son long manteau pour montrer sa tenue à Caitlin, qui s'esclaffe à son tour. Lorsqu'elles s'assoient toutes deux au bord du lac pour bavarder, je suis rassuré. Contrairement à moi, Caitlin s'est déjà regardée dans les miroirs du château, mais cela fait des siècles qu'on ne lui a pas dit combien elle est jolie. Elle était autrefois la descendante d'une famille de haute lignée, et sa beauté était bien supérieure à la fortune dont elle devait hériter.

Liadan en a probablement conscience et lui décrit point par point les particularités de son agréable physionomie, prenant soin de ne pas parler de l'eau qui ruisselle le long de ses cheveux raides, des plis de sa robe mouillée et couverte de boue, des cernes noirs déparant son pâle visage de noyée.

Je suis fier de Liadan comme d'un trésor dont je serais le propriétaire exclusif. Comme l'a dit Caitlin, c'est ma petite amie. La mienne et celle de personne d'autre.

Elles se tournent vers moi en sentant le courant d'air froid qui émane de ma personne, mais seule Caitlin devine ce qui se passe dans ma tête. Elle fronce les sourcils pendant que Liadan m'observe avec innocence, sans comprendre.

CHAPITRE 18

LIADAN

C'est curieux, mais je n'ai jamais été aussi heureuse. J'ai toujours eu l'impression que, sauf rares exceptions, j'étais incapable de sympathiser avec les gens. Ce n'est pas le cas avec les morts. En compagnie d'Alar, je suis aussi bien qu'avec Aith, même si c'est un garçon. Alar n'est pas uniquement un ami. Il a quelque chose en plus. Dans ma vie chaotique, les journées passent à une vitesse folle.

J'ai convaincu Aith de faire notre devoir d'histoire sur les mythes d'Édimbourg. Ce sera facile, puisque je dispose d'une source d'information directe. Je ne me lasse pas d'écouter Alar me parler de sa vie et des changements survenus autour de lui. J'admire les capacités d'adaptation dont il a su faire preuve pour s'accoutumer à un monde parallèle alors que d'autres esprits se sont contentés d'errer. Maintenant, il lui arrive de m'accompagner en cours et j'ai beaucoup de mal à ne pas le regarder ni lui parler.

J'apprécie sa présence, aussi physique à mes yeux qu'inexistante pour les autres élèves. J'aime également qu'il aborde des sujets que les professeurs ignorent. Je me demande cependant pourquoi il ne m'adresse pas la parole quand Aith est à proximité. Sans doute dans le souci de me laisser profiter de mon amie, qui me semble nerveuse ces derniers temps, bien qu'elle essaie de le cacher.

Même si elle est restée ancrée dans le XVIIIe siècle et ne comprend pas grand-chose au monde actuel, Caitlin est devenue une amie. Elle est bizarre et elle m'effraie parfois, mais, abstraction faite de son caractère obsessionnel, elle a bon cœur. Alar m'autorise à aller la voir seule pour papoter entre filles. Je sens son regard sur moi, il nous surveille depuis la fenêtre de la bibliothèque. Quand je me retourne pour regarder sa silhouette éthérée plongée dans la pénombre, j'ai l'impression d'être dans un film d'horreur. Le savoir à proximité me rassure, je me sens protégée.

Avec Annie, tout se passe également pour le mieux et je me montre généreuse, même si les adieux sont toujours difficiles. Je sais que cette enfant déteste la solitude, mais les gardiens du Mary King's Close commencent à trouver étrange que je reste des heures dans la ruelle souterraine. Ils s'étonnent aussi que la température baisse et que des coupures d'électricité se produisent au moment où je quitte les lieux. Je suis par ailleurs consciente d'attirer l'attention des habitants de Candlemaker Row lorsque je feins de nouer mes lacets devant la statue de Bobby. Je suis en train de devenir une drôle d'actrice et, plus d'une fois, j'ai dû expliquer à James pourquoi je parlais seule. Mes camarades de classe s'étonnent de me voir regarder sans cesse de tous côtés, comme si je cherchais quelqu'un. Mais je suis heureuse et Malcolm s'en réjouit. Jamais il n'irait s'imaginer que je ne lis pas une ligne à la bibliothèque. Je n'en ai plus besoin, Alar étant à lui seul un véritable manuel d'histoire.

Je suis désolée pour Aith. Elle me connaît et s'est aperçue que j'ai changé. Elle me paraît troublée. Je serais prête à jurer qu'elle perçoit la présence d'Alar. Elle croit que je suis amoureuse et, bien que je nie tout en bloc, elle a envie de rencontrer Alar. Tôt ou tard, elle fera irruption dans la bibliothèque. Elle me regarde en fronçant les sourcils, s'interrogeant sans doute sur les idées farfelues qui me passent par la tête. Pauvre Aith, elle est si gentille. Comme Keir. Désormais, lorsque j'assiste à ses concerts, je suis moins intimidée. Les preux chevaliers que mon amie et moi imaginons à nos moments perdus ont désormais les cheveux auburn et les yeux verts incroyablement transparents d'Alar.

Le mois de décembre étant glacial, il me coûte davantage d'aller voir Caitlin. Si seulement elle pouvait pénétrer dans les salles chauffées du château, ce serait plus facile. Je prends garde de ne pas trembler de froid devant elle, ce serait malpoli. Je me rends compte qu'elle m'envie et aimerait encore être de ce monde, car elle me pose sans cesse des questions sur ma vie. Être isolée à ce point, rattachée à un lac au fond d'un parc, est très dur, aussi m'efforcé-je de lui rendre souvent visite et d'afficher un air joyeux, bien que je sois transie.

En cachette d'Alar, j'ai repris mes recherches sur les fantômes de la ville, mon guide touristique à la main. Je n'ose pas m'aventurer dans le château. Certains spectres célèbres ne me sont jamais apparus, peut-être parce qu'ils relèvent vraiment de la légende. En revanche, dans l'une des ruelles partant du Royal Mile, j'ai vu le vieux cordonnier. Le pauvre rampe sur le sol et scrute avec émerveillement les souliers des passants. Ces derniers ne cessant de bouger, il n'a jamais pu découvrir les secrets de fabrication des chaussures modernes. Parfois, je m'arrête, fais semblant de lire ou de parler au téléphone afin qu'il puisse étudier les miennes. J'en change régulièrement. Tout en sachant que cette apparition que j'ai qualifiée d'« éthérée » ne peut me toucher, elle m'effraie. Quand je sens cet esprit rôder avec excitation autour de mes jambes, je me demande comment il réagirait en voyant un visage. Je prends donc soin de ne pas lui montrer que j'ai conscience de sa présence, je feins l'indifférence, et me satisfais de la joie qu'il éprouve en examinant mes pieds.

Nous sommes aujourd'hui le 12 novembre et, sur mon agenda très particulier, je me suis assigné pour tâche de découvrir la vérité à propos des fantômes du cimetière de Greyfriars. Ce lieu a été autrefois la sombre prison des Covenanters, des religieux en rébellion contre l'épiscopat. On les a laissés mourir là, de faim et de soif. Dans les années 1990, des touristes ont affirmé avoir perçu la présence d'un *poltergeist* au milieu des tombes.

Cette idée n'est pas pour me déplaire, car, contrairement aux esprits comme Alar ou Caitlin, les *poltergeist* sont des entités maléfiques qui ne se manifestent pas de manière continue, mais seulement quand elles sont en colère ou désespérées. Ces spectres ne sont capables d'entrer en contact avec le monde des vivants que s'ils sont stimulés.

Je veux m'assurer de la véracité de ce qui n'est peut-être qu'une fable. Quand j'arrive au cimetière, il pleut et l'endroit est désert. Je progresse entre les mausolées et les pierres tombales, je croise des gens parmi lesquels je confonds parfois les vivants et les morts. Je veille à ne pas les regarder dans les yeux, ainsi qu'Alar me l'a conseillé. Je les observe cependant à la dérobée pour voir s'ils respirent, si fixement que certains touristes se demandent s'ils n'ont pas une tache sur leurs vêtements. Je m'arrête devant un mur de petites niches et sens autour de moi une sorte de souffle. Tout à coup, sur ma gauche, l'air semble se soulever comme si une poche de gaz y flottait. Caitlin et Annie sont transparentes, mais ce qui rôde dans les parages est différent, à moins que je ne commence à distinguer des formes qui n'existent que dans mon imagination.

Deux nébuleuses noires apparaissent dans cette masse gazeuse, à quatre ou cinq mètres de moi. J'ai peur, consciente d'être face à des esprits maléfiques. Je recule avec lenteur, mais j'aurais dû détourner le regard plus vite et jouer l'indifférence. « Règle numéro 1, pensé-je. Ne jamais les regarder de manière franche et directe, sans quoi ils se sentent observés. » Je sais que la chose s'avance dans ma direction lorsque je distingue des traces dans le gazon.

– Mon Dieu..., murmuré-je.

Cet esprit va m'attaquer, j'en suis certaine. Je fais volte-face et me précipite vers la grille du cimetière, qui est encore très loin. Derrière moi, j'entends des bruits sourds et perçois une entité invisible qui frappe les dalles avec force, faisant jaillir des éclats de pierre tandis que ses empreintes marquent le sol. La chose se rapproche de moi. Je préfère détourner le regard.

Je me hâte, pressentant un danger mortel. Quand il m'a dit qu'il était doux comparé à certains des siens, Alar ne mentait pas. À présent, je réagis comme toute personne normale prise d'une véritable terreur. Je ne veux pas mourir, mais, si ce démon m'atteint, il me cognera la tête avec autant de violence qu'il en met à s'acharner sur les pierres tombales.

J'aperçois un groupe de touristes du troisième âge. J'aimerais les rejoindre, leur demander de l'aide. Mais je ne veux pas que la chose qui est à mes trousses les agresse. Je gagne donc les portes situées à l'autre bout du cimetière, au risque de me faire attaquer. Les visiteurs m'observent, me prenant certainement pour une folle. Qu'importe ce qu'ils pensent, je ne m'attarde pas et évite de tourner la tête pour voir si la chose s'en est prise à eux.

Dans l'espoir que ce spectre se contentera de me poursuivre, puis s'évanouira lorsque je serai hors de sa portée, je dévale la rue en me jurant de ne plus jamais revenir à Greyfriars.

CHAPITRE 19
Aith

Aujourd'hui, Liadan est arrivée à la maison dans tous ses états et je suis inquiète. Depuis quelques jours, elle a un comportement étrange. Elle semble heureuse, voire exaltée, mais sursaute au moindre bruit. J'ai l'impression qu'elle nous cache quelque chose. Je ne suis pas sûre que cet Alar ait une bonne influence sur elle. Peut-être qu'il prend de la drogue et en a proposé à Liadan. J'ai demandé à Keir de se renseigner à son sujet. Ce sera facile pour lui, car bien qu'ayant choisi des cursus différents, ils étudient dans la même université.

Je pense qu'en passant la plupart de mes soirées pendue au téléphone avec Brian, je n'ai sans doute pas été à la hauteur de l'amitié que me porte Liadan, qui ne connaît pas grand monde ici. J'ignore ce qu'elle fait, le soir, à la bibliothèque, avec pour seule compagnie celle de ce garçon mystérieux qui risque de profiter de son insatiable curiosité.

Moi non plus, je ne suis pas au mieux de ma forme : mes vieilles hallucinations sont revenues me hanter, or je ne veux pas sombrer à nouveau.

Comme toujours, Liadan prend des nouvelles de Brian mais elle semble s'intéresser plus que d'habitude à ma vie de couple. Allongées sur la moquette, nous réfléchissons à notre devoir d'histoire et je l'observe : elle paraît songeuse, sur les nerfs, si ce n'est effrayée, le regard rivé sur le feu qui brûle dans la cheminée, obnubilée par je ne sais quels problèmes. Elle me rappelle la triste période que j'ai traversée en sortant du coma. Le lendemain, afin d'être sûre de ne pas me tromper, je demande aux autres élèves s'ils ont remarqué des changements chez Liadan. Evan me répond par l'affirmative et déclare que, depuis qu'elle fréquente l'étudiant de la bibliothèque, elle n'est plus la même.

Lorsque nous reprenons le chemin du lycée après le week-end, elle ne tient plus de joie, et cela m'agace d'être exclue de son bonheur. Je la regarde sans comprendre. Elle lance des coups d'œil incessants autour d'elle et affiche un sourire béat dès qu'elle ne se sent plus observée, fixant je ne sais quoi qu'elle est la seule à pouvoir distinguer.

– Liadan, lui dis-je en la prenant par la main avant la dernière heure de cours. Tu veux que j'aille avec toi à la bibliothèque, ce soir ? Je suis désolée de ne jamais te l'avoir proposé, je t'ai abandonnée...

– Non ! s'exclame-t-elle. Alar va venir. J'aimerais savoir pourquoi il a l'air si triste depuis quelque temps.

– Parfait, murmuré-je, même si je sens la moutarde me monter au nez. Mais je vais proposer à Keir de passer un de ces jours. Vous deviez discuter de quelque chose d'important, n'est-ce pas ?

– Ah oui, c'est vrai. Ne t'en fais pas pour ça, inutile de le déranger.

– Je lui transmettrai.

Je l'embrasse et la vois s'éloigner, toute contente. Je m'empresse de quitter le château. Il fait un froid glacial, ici. En bas, dans le hall, la température est plus agréable. James est dans son petit bureau, ce qui me donne une idée. Si je me permets d'agir de la sorte, c'est pour le bien de Liadan.

– Bonsoir, mademoiselle MacWyatt, me dit-il, serviable et gentil.

– James... je peux vous poser une question ? Que pensez-vous de cet étudiant qui vient travailler le soir à la bibliothèque ? Il passe beaucoup de temps avec Liadan, et...

– Je n'ai vu aucun étudiant, mademoiselle, et je vous garantis que vous n'avez rien à craindre pour Mlle *Montblaench*, elle est en sécurité, car personne ne vient jamais ici dans la soirée.

« Oh, non ! Liadan ! »

Mes jambes se dérobent, je prends appui sur le comptoir et sors mon téléphone de ma poche pour appeler Keir.

CHAPITRE 20
ALASTAIR

– Qu'est-ce que tu as ? me demande Liadan quand j'entre dans la bibliothèque.

Je m'attendais à ce qu'elle me pose cette question. Il est vrai que, ces jours-ci, je me comporte bizarrement et ne trouve pas le courage de lui en expliquer la raison. Comment lui dire que je redoute son départ à la fin de l'année ? Pourtant, aujourd'hui, autre chose me tourmente : son amie devient un problème, même si elle a finalement renoncé à accompagner Liadan à la bibliothèque. Elle a dû accepter l'idée de ne pas me connaître. Demain soir, le lycée ferme ses portes pour les vacances de Noël. Au retour, Aith aura peut-être oublié sa méfiance à mon égard. Pour le moment, les regards qu'elle adresse à Liadan m'affligent et il m'arrive parfois d'avoir envie de la mettre à l'écart pour éviter qu'elle ne nous sépare.

– Rien. Je n'ai rien. Et toi, ça va ?

Elle rit.

– Tu ne peux pas savoir à quel point je suis heureuse, me répond-elle en me donnant une bourrade. Tu es resté ici toute la journée...

Dernièrement, nos contacts physiques se sont multipliés et la sensation de froid que j'avais lorsque je la touchais a disparu.

Tout à coup, la porte s'ouvre sur un jeune homme qui m'est vaguement familier. Blond et grand, il ressemble beaucoup à Aith. Interloquée, Liadan a blêmi, comme si on venait de la surprendre en train de faire une bêtise.

– Keir ! Tu m'as flanqué la frousse !

Il inspecte les lieux, ne détache pas les yeux des couloirs.

– Tu es seule ? J'ai cru t'entendre parler à quelqu'un.

Quand nous ne sommes pas seuls, je me place face à Liadan pour qu'elle puisse me regarder sans éveiller les soupçons.

– Moi ? Quelle idée ! répond-elle avec une précipitation qui n'a rien de naturel. Je lis à voix haute. Qu'est-ce qui t'amène ?

– Je te dérange peut-être, tu attends ton ami...

– Non, le coupe Liadan. Je ne pense pas qu'il viendra aujourd'hui. Je l'ai vu hier et il m'a dit qu'il avait une journée très chargée.

– D'accord, murmure Keir, guère convaincu.

– Je suis juste surprise de te voir ici, insiste Liadan en souriant.

– J'avais promis de t'expliquer pourquoi je crois aux fantômes, tu te rappelles ?

– C'est vrai, lâche Liadan en m'observant à la dérobée. Ça m'intéresse beaucoup, ajoute-t-elle d'un air captivé.

– Bon, mais ne le répète à personne, lui dit-il.

Je devine que ce jeune homme est le cousin d'Aith, l'étudiant en histoire.

Il détourne la tête, visiblement mal à l'aise.

– C'est assez éprouvant, tu vas voir. Je terminais ma dernière année de lycée et passais les examens du premier semestre. J'en avais marre de travailler, alors je suis allé me détendre près du lac.

Il se tait, car les lumières viennent de vaciller. Il regarde les néons en fronçant les sourcils. Liadan m'observe, elle sait que c'est moi qui suis la cause de l'incident, je n'ai pas pu l'éviter. Maintenant, je sais pourquoi il me semble avoir déjà vu ce garçon, et ce qui va suivre me déplaît.

– Liadan, je t'en prie, dis-lui que tu n'as pas envie qu'il te parle de ça, susurré-je.

Interdite, elle se tourne à nouveau vers son interlocuteur.

– Et que s'est-il passé ? demande-t-elle.

– Eh bien... Oh, il fait glacial, ici ! Je suis donc allé au bord du lac. C'était la fin de l'hiver, il y avait encore du givre sur l'herbe. Je me suis approché du pont et arrêté à quelques mètres de l'eau parce que le vent soufflait fort et que je ne voulais pas que mes notes soient éclaboussées, mais une page m'a échappé, ou plutôt... j'ai eu l'impression que quelqu'un me l'avait arrachée. Elle est tombée au bord de l'eau. J'ai couru après et l'ai récupérée juste avant qu'elle soit engloutie, mais le vent ou autre chose m'a poussé dans l'eau.

À la tête de Liadan, je sais qu'elle vient de tirer ses propres conclusions. Elle scrute le jeune homme, mais je vois qu'elle souhaite m'interroger. Si seulement je pouvais le faire taire... Malheureusement, toute tentative de ma part éveillerait les soupçons de Liadan, qui en sait déjà assez.

– Le lac était glacé, poursuit le garçon en revivant cette histoire, le regard vague. Lesté par mes vêtements, je risquais de couler à pic. J'ai alors senti une sorte de griffe chaude m'agripper le mollet, je t'assure, et m'entraîner vers les profondeurs. Autour de ma jambe, l'eau semblait plus dense, je me suis débattu, j'ai pu remonter à la surface et regagner la rive. Une fois hors de danger, j'ai constaté que le lac était redevenu calme, mais j'ai pris mes jambes à mon cou, persuadé qu'une force maléfique rôdait dans les parages.

Il garde le silence, plongé dans ses pensées, tandis que Liadan le fixe sans souffler mot. Quelque temps plus tôt, elle aurait peut-être réagi de manière différente, mais, là, elle est sans voix. Il se tourne vers elle et sourit, penaud.

– Voilà les raisons pour lesquelles je crois aux fantômes, même si tu trouves ça stupide. Pourquoi m'as-tu posé la question ? Toi aussi, tu as remarqué des choses bizarres ?

– Non, ment Liadan. Je suis persuadée qu'ils n'existent pas. Mais tu as sans doute réellement senti quelque chose qui pourrait s'expliquer de manière rationnelle, un courant...

– C'est possible, ou alors j'ai rêvé, déclare-t-il d'un ton résolu. Parfois, notre imagination nous joue des tours et nous pousse à croire à des choses qui n'ont jamais eu lieu. Il faut en avoir conscience et se ressaisir, comme je l'ai fait en me persuadant que ce n'était rien, ou comme l'a fait Aith en oubliant ses hallucinations, même si elle a dû être aidée psychologiquement. Mais ce n'est pas grave. Liadan..., ajoute-t-il en lui prenant la main. S'il t'arrivait ce genre d'aventure, si tu avais d'étranges pressentiments, tu m'en parlerais, n'est-ce pas ? Tu sais que tu peux avoir confiance en moi et que c'est réciproque.

Liadan est déconcertée. Quant à moi, les propos de son ami me font trembler.

Je m'éloigne d'eux : si je reste, je dégagerai un froid si intense que le cousin d'Aith soupçonnera quelque chose d'anormal.

– Bien sûr que je te le dirais, mais ce n'est pas le cas.

– Aith te trouve bizarre en ce moment.

– C'est la fatigue, se défend-elle. Je crois que je vais fermer plus tôt, ce soir, il n'y a personne.

– Parfait, je vais t'attendre et on ira ensemble au Red Doors, Aith m'a dit que tu venais.

– Euh... d'accord, bredouille-t-elle, cachant mal son jeu. Tu ne voudrais pas plutôt passer me prendre dans une heure ? Il faut que je range, et je n'ai pas envie de t'embêter avec ça.

– Pas de problème. Dans une heure. Ah, au fait, je me suis renseigné : aucun Alar n'étudie les sciences politiques à l'université.

– Ah bon ? souffle Liadan, décontenancée. Tu as raison, il a tout inventé, précise-t-elle en souriant. Il a quitté la fac et fait ses recherches seul. Il est assez excentrique, c'est pour ça qu'il m'a menti.

– Tu es certaine que tu ne veux pas venir passer les fêtes à Inverness, avec nous ? lui demande-t-il en soupirant. On part demain soir. Tu seras entourée d'amis, tu t'amuseras... Si ta tutrice ne peut pas te recevoir, je ne vois pas pourquoi tu resterais ici.

– Non, ça va aller. J'ai une tonne de révisions et Alar a promis de venir m'aider à la bibliothèque. En plus, Malcolm et Agnès seront ravis de m'avoir à leurs côtés.

– Bon. Je te retrouve dans une heure.

Il s'est exprimé d'une voix triste et angoissée. À l'évidence, il l'aime et s'inquiète pour elle.

– OK, à tout à l'heure, murmure-t-elle en le raccompagnant.

– Au fait, Liadan, ne t'approche pas du lac, tu veux bien ?

– Ne t'inquiète pas.

Quand elle referme la porte, j'attends sa réaction avec impatience. Je dois avoir une allure épouvantable, mais elle ne détourne pas les yeux. Elle pense sûrement que ses amis commencent à douter de sa lucidité.

CHAPITRE 21

Liadan

Alar est redevenu un étranger aux yeux noirs et flous, mais cette fois je m'en réjouis. Je vais chercher mon manteau posé sur la table.

– Où vas-tu ?

Je l'ai visiblement sorti de sa léthargie.

– Au bord du lac ! m'exclamé-je en me hâtant d'ouvrir la porte, sans me retourner. J'ai deux ou trois choses à dire à Caitlin. Tu te rends compte qu'elle a essayé de noyer Keir ?

Il m'empêche d'accéder à la porte et m'oblige à reculer en me tenant solidement par les épaules. En général, j'adore son contact, mais, là, j'aurais préféré l'éviter. Ses yeux ont repris une apparence normale. Je frémis : ils sont si beaux que j'aimerais pouvoir toujours les admirer.

– Laisse-la tranquille, Liadan.

– Quoi ? Elle s'est comportée comme une folle. Comme ce démon du Greyfriars !

Je regrette aussitôt d'avoir prononcé ces mots et de donner à Alar l'occasion de changer de sujet. J'en profite pour essayer de me dégager de son étreinte.

– Liadan, nous reparlerons de ça plus tard, mais ne tourmente pas Caitlin !

– Elle a voulu tuer Keir !

– Parce qu'elle le trouvait beau, déclare Alar en haussant les épaules.

Drôle de justification ! Il vient de s'exprimer avec douceur, à croire que Caitlin n'a voulu commettre aucun crime.

– Toi aussi, tu me trouves jolie, lui rétorqué-je en tâchant de me montrer conciliante. Ça te paraît une raison suffisante pour vouloir me tuer ?

Un long silence s'installe entre nous, puis je me rends compte qu'il n'a pas l'intention de répondre. Qui ne dit mot consent. Je cesse de m'agiter et nous nous regardons, à deux doigts l'un de l'autre. Je suis tellement sidérée que j'ai la bouche grande ouverte.

– Tu as voulu me tuer ?

– Tu sais comment nous sommes, Liadan.

C'est la seule explication qu'il me fournit. Sans doute vaut-il mieux qu'il ne s'étende pas trop sur ses émotions morbides et compulsives.

– Je suppose que je dois prendre ça pour un compliment.

Comme je le vois plus triste que jamais, ma colère et ma peur se dissipent. Je me demande d'où vient ce chagrin que je ne lui connaissais pas. Si l'idée de m'entraîner à ses côtés lui a traversé l'esprit, c'est qu'il est attaché à moi. Moi aussi, je l'apprécie. J'aimerais creuser davantage la question, mais il est fuyant. Au bout du compte, je sais qu'il ne me veut aucun mal.

– Très bien, nous verrons ça un autre jour. En attendant, laisse-moi aller retrouver Caitlin, je te promets de ne pas me mettre en colère.

– D'accord, susurre-t-il en s'écartant après un moment de silence. Je t'attends ici.

– Parfait.

Je descends les escaliers quatre à quatre, espérant rentrer à temps pour prendre congé d'Alar avant que Keir ne vienne me chercher.

*

– Liadan !

Malgré la promesse faite à Alar, j'étais résolue à sermonner Caitlin vertement, mais son visage radieux m'en dissuade. La pauvre, elle est si seule. Je m'assois auprès d'elle et tâche d'aborder le sujet avec des pincettes, mais c'est un échec.

– Pourquoi as-tu voulu noyer Keir dans le lac ? lui demandé-je sans prendre de gants.

Inutile de me fendre d'explications, elle a compris de quoi je parle, se rembrunit, prend un aspect effrayant. Je sais qu'elle a honte parce qu'elle tord ses mains contre sa robe du XVIIIe siècle.

– Il était beau.

« La bonne excuse », songé-je.

– Il venait souvent au bord du lac et je ne me lassais pas de le regarder. Je sais combien les cours et les examens peuvent être exténuants, m'annonce-t-elle fièrement. À la fin de l'année, il allait partir, alors, tout à coup, j'ai pensé que... Je voulais le garder pour moi. Je suis seule, je ne le reverrai jamais, même si maintenant j'ai Jonathan, mon vaillant soldat...

Elle laisse sa phrase en suspens, songeuse. Je me demande qui est Jonathan. Peut-être le type en uniforme de Bruntsfield Park : il m'a semblé entendre Alar le mentionner.

– C'est pour ça qu'Alar est triste ! s'exclame-t-elle soudain, abordant le sujet qui me tient à cœur. Toi aussi, tu t'en iras et il ne pourra pas t'accompagner. Voilà pourquoi il refuse de trop s'attacher, sans quoi il aura vraiment du chagrin. C'est très difficile pour lui. L'idée de te faire du mal le panique, mais parfois nous n'arrivons pas à nous contrôler. Rassure-toi, ajoute-t-elle en me voyant décomposée, Alar n'est pas comme moi.

– Pourquoi est-il si sûr qu'on ne se reverra pas ?

– Tu ne comprends pas ? Liadan, ma chère Liadan, réfléchis un peu. À ton avis, pourquoi Alar n'est jamais allé avec toi hors de l'enceinte du château ? Pourquoi avons-nous été en colère quand tu l'as emprisonné pendant la Nuit des Morts ? Il ne peut pas s'aventurer au-delà de ces murs, sauf pour Halloween, et, quand tu auras fini tes années de lycée, tu ne reviendras pas ici.

Je commence par me dire que je suis une imbécile. Mon Dieu ! Comment ne m'en suis-je pas rendu compte ? Sans doute par refus d'accepter la vérité. Alar est le premier garçon qui me plaît. J'ai occulté la réalité de crainte que notre histoire ne s'arrête. Un poids insupportable m'oppresse la poitrine, je n'avais jamais éprouvé cela. Je refuse de me séparer d'Alar. Les yeux me piquent, je cligne les paupières pour refouler mes larmes.

Caitlin m'observe, pose une main compréhensive sur ma jambe, mais, bien sûr, elle passe au travers et je sens l'humidité sur mon pantalon. Je réfléchis à une solution qui me permettrait de rester aux côtés d'Alar l'an prochain. Redoubler n'est pas souhaitable, mais je pourrais m'inscrire en fac d'histoire, puis travailler à un sujet de thèse nécessitant de consulter les archives du lycée. Je passerais ainsi toutes mes journées à la bibliothèque. Et ensuite ? Solliciter un poste de professeur auprès de Malcolm ne serait pas une mauvaise idée. Mais alors je ne verrais pas Alar en dehors de mes heures de travail. Je dois trouver autre chose pour rester auprès de lui sans être obligée de mentir, de me taire devant les tiers, de me séparer de lui le soir et le week-end, de vieillir...

La seule chose qui me vient à l'esprit, c'est la mort.

CHAPITRE 22
CAITLIN

Quand il saura ce que j'ai raconté à Liadan, Alastair sera furieux, mais que pouvais-je faire d'autre ? Tôt ou tard, elle se serait aperçue qu'il est amoureux d'elle. Le voir déprimé la préoccupait, même si elle ne voulait rien dire. Elle mérite de connaître la vérité.

Assise au bord de l'eau, je me relève et agite un pied au-dessus du lac. J'ai beau redoubler d'efforts pour découvrir les raisons de ma noyade et les sensations que j'ai eues en mourant, je ne me rappelle rien. Le lac est mon foyer et je m'y suis attachée. Je n'aimerais pas le considérer comme un ennemi ou, pire, un assassin.

Je me félicite de ne pas avoir accepté de précipiter Liadan dans les profondeurs, ainsi qu'elle me l'a demandé. Il me serait impossible de partager ma demeure avec elle et je le lui ai dit. Je m'étonne d'avoir dû lui fournir le genre d'explication qu'une institutrice donne à ses élèves.

Certaines choses ne lui avaient même pas traversé l'esprit. En temps normal, Alastair est mon guide et je fais figure de jeune fille effarouchée, mais, pour une fois, j'ai trouvé plus égaré que moi. C'était merveilleux d'avoir l'impression d'être forte et expérimentée.

J'espère avoir fait comprendre à Liadan que mourir n'est pas une solution. Nul ne peut être sûr que son esprit hantera le lac, comme le mien. Toutes les options sont envisageables : qu'elle soit obligée de rester au fond, près de moi, de son amie ou du concierge, ou alors qu'elle doive regagner Barcelone. Après qu'elle aura trépassé, le destin lui réservera le sort des âmes en peine qui ignorent où elles sont. Chacun de nous est particulier et imprévisible, il ne maîtrise pas le sort qui lui est réservé.

Je suis sûre que, si Liadan mourait, elle connaîtrait la paix. Nous ne sommes guère nombreux à être ancrés ici-bas grâce à l'énergie libérée par notre esprit, selon l'hypothèse de Liadan et Alastair. Si elle disparaissait, il ne le supporterait pas.

Je suis triste de l'avoir vue pleurer, incapable de l'enlacer. Rien que d'y songer, j'ai les larmes aux yeux. Elle l'aime, ils sont unis par un lien plus fort qu'ils ne le pensent. Alar a trouvé une compagne et Liadan, solitaire parmi les siens, a découvert en lui une âme sœur. Il est logique qu'ils n'aient pas envie de se séparer, mais cela me fait frémir. Mon Dieu ! Elle fait partie du monde des vivants.

Pourtant, je l'apprécie et souffre de n'avoir pas pu la réconforter. Elle s'est sauvée en courant vers la bibliothèque. Elle n'avait pas atteint les grilles qu'un jeune homme venait à sa rencontre. Malheureusement, il était trop loin et je ne l'ai pas bien vu. Il a pris Liadan par la main et l'a entraînée loin de l'enceinte du château.

*

– Liadan a dû partir, annoncé-je à Alar lorsqu'il passe dans la soirée.

Il a l'air mécontent. Je suis certaine qu'il nous a observées par la fenêtre et s'est aperçu du trouble soudain de Liadan.

– Je sais, répond-il, un ami est venu la chercher, mais nous avons rendez-vous demain.

– Très bien, murmuré-je.

Je sens la nervosité monter en moi à la pensée qu'il trouve mon comportement bizarre.

– Qu'est-ce qu'elle avait ? me demande-t-il avec le plus grand sérieux.

Je dois trouver une explication, pourtant je redoute de le blesser. Contrairement à moi, il n'a jamais souffert de sa prison. Depuis que je le connais, il a enduré cette condition pénible avec courage. Si je lui fais part de notre conversation, il perdra la sérénité que je lui ai toujours enviée, n'arrivera plus à trouver le sommeil et voudra s'enfuir pour s'assurer qu'elle va bien.

– Rien. Elle s'est fâchée parce que j'ai voulu noyer ce garçon il y a deux ans, c'est tout.

Je défaille. Je n'aime pas mentir à Alar. C'est cependant préférable pour lui et Liadan qui, demain, se sera peut-être calmée. Je le souhaite.

CHAPITRE 23
ALASTAIR

Aujourd'hui est un grand jour : les cours se terminent ce soir et les élèves ont deux semaines de vacances. J'aurai Liadan pour moi seul. Obstinée, elle a obtenu de venir étudier ici l'après-midi. Personne ne nous dérangera, pas même le concierge, qui ne travaillera que quelques heures. Je suis ravi, mais tracassé à cause de Caitlin, qui était bizarre hier soir. Liadan est partie plus tôt, si bien que je n'ai pas pu en parler avec elle. Je vais m'arranger pour qu'elles fassent la paix. Impossible qu'elles restent fâchées par la faute de ce Keir.

Que Liadan lui soit si attachée me fait sortir de mes gonds. Agacé, je ne vais pas la voir pendant les cours. Je devrais pourtant me réjouir qu'elle ait des sentiments pour l'un d'entre eux, dont elle partagera la vie après ses études. Pourquoi me laisser aveugler par une colère égoïste ? Ce trait de caractère, qui manque de noblesse, m'effraie.

Je n'oublie pas ce que m'a dit Caitlin: «Je ne me suis même pas rendu compte que j'attirais ce garçon au fond de l'eau. C'était plus fort que moi, j'avais besoin de le noyer.»

Je crains de vouloir commettre un acte similaire et de mettre la vie de Liadan en danger. Je dois me résigner à l'idée qu'elle ne m'est pas destinée et ne le sera jamais, quels que soient mes désirs. Je passe la journée à tenter d'accepter la situation et de m'apaiser, puis, à la fin des cours, je vais l'attendre en affichant mon plus beau sourire, animé de la meilleure volonté.

*

Elle n'est pas seule. Des élèves s'engouffrent dans la bibliothèque et s'égaillent çà et là comme des nuées de moineaux. Ils sont venus chercher les ouvrages qu'ils doivent lire pendant les vacances. Ce n'est pas grave, je vais patienter. Adossé à une étagère, derrière la table du bibliothécaire, j'adresse une moue impatiente à Liadan, mais mon rictus se fige sur mes lèvres en découvrant sa mine affligée. Ses grands yeux noirs sont noyés de larmes. Sans se soucier de ses camarades, elle avance dans ma direction. Je lui fais signe de s'arrêter, car un élève vient de l'appeler. Elle cligne les paupières et, au prix d'un gros effort, tourne les talons à contrecœur. J'ai eu le temps de déceler de la souffrance dans son regard et devine que son angoisse – de même que celle de Caitlin – n'est pas liée à une dispute.

J'ignore ce qui se passe, mais songe avec inquiétude que je ne suis pas étranger à ses états d'âme. Je disparais dans un rayonnage et, sachant ses réactions imprévisibles, je m'éloigne de son champ de vision jusqu'à ce que les lycéens aient déserté les lieux.

Les minutes s'écoulent lentement. Les *dunedains* n'ont jamais été aussi pénibles. Certains se plaignent du froid subit, mais peu m'importe. Au contraire : les courants d'air glacé les chasseront peut-être plus vite d'ici. Le dernier à quitter la salle, Evan, tente de convaincre Liadan d'aller boire un café avec lui avant les vacances. Je me réjouis de l'entendre décliner sa proposition. Je n'ai guère envie que nous nous séparions en ces termes. Elle le raccompagne jusqu'à la porte. Quand il a disparu, je sors de ma cachette.

– Liadan ? m'écrié-je d'une voix alarmée.

Elle ne me répond pas, se contente de se tourner vers moi, puis se jette dans mes bras et se blottit contre mon torse. Son contact me frigorifie, sa réaction m'a pris de court et je ne parviens pas à me réjouir ; son comportement m'inquiète plutôt. C'est la première fois que je suis aussi près du corps d'un vivant et cela me plaît. Je sursaute en sentant ses épaules se soulever à intervalles réguliers. Je ne vois d'elle que ses beaux cheveux roux, sous mon menton, mais je sais qu'elle a fondu en larmes. Je la serre contre moi, la laisse s'épancher en savourant cet instant.

– Qu'est-ce que tu as ? lui demandé-je quand ses sanglots s'apaisent bien qu'elle paraisse inconsolable. C'est parce qu'Aith part ce soir et qu'elle va te manquer ?

Elle s'écarte de moi, indignée. Ses joues sont trempées.

– C'est toi qui vas me manquer ! hurle-t-elle.

Je comprends tout, garde les yeux rivés au sol. D'un côté, je suis flatté qu'elle prenne notre future séparation à cœur ; de l'autre, j'estime qu'une vivante n'a pas à se mettre dans cet état à cause d'un spectre. Je suis ému, mais ma compassion ne semble pas du goût de Liadan.

– Ne me dis surtout pas qu'on doit en rester là, que c'est mieux pour moi ! s'exclame-t-elle sans me laisser le temps d'ouvrir la bouche.

Sa perspicacité m'épate, car telle était la réponse que je comptais lui faire. Je me tais tandis qu'elle se serre contre moi, terrassée par la cruelle vérité, et continue de pleurer. Je sais que je ne devrais pas me réjouir, pourtant je suis ravi qu'elle partage mes sentiments. Étrangement, nous nous touchons, elle frémit, je soulève son menton pour la regarder et m'assurer qu'elle éprouve la même chose que moi.

Sans réfléchir, je me penche vers elle et l'embrasse. Confiante, elle ne cherche pas à se dégager et passe ses bras autour de mon cou pour me rendre mon baiser avec douceur. Depuis ma fin tragique, je n'ai jamais connu de sensation plus merveilleuse. Comparées aux miennes, ses lèvres sont glacées mais pleines de vie, la chose la plus suave qu'il y ait sur terre. Un grand frisson me parcourt le dos, et je me dis que, si je devais me séparer d'elle, je deviendrais fou. Je caresse distraitement ses cheveux et sa taille. Notre désir est réciproque ; le mien n'est pas mort avec mon enveloppe corporelle.

Une vibration traverse l'air, m'obligeant à reprendre conscience du monde environnant. Je scrute la porte et, pétrifié, resserre mon étreinte, dans l'attente de ce qui va suivre.

Son amie, la jeune fille blonde au visage angélique, se tient dans l'encadrement et scrute Liadan, atterrée.

Elle nous observe depuis longtemps, aussi paralysée que moi. Dans la scène qui se déroule sous ses yeux, Liadan enlace le vide et parle toute seule.

Aith est persuadée que son amie a perdu la raison.

CHAPITRE 24
LIADAN

Je me demande comment une aventure aussi étrange et effrayante a pu devenir la plus merveilleuse de mon existence. Alar est mort, et pourtant, entre ses bras, je me sens bien vivante. Ses lèvres ont la chaleur d'un rayon de soleil. Je ne veux plus penser à ce que je fais, mais me laisser porter jusqu'au bout, quoi qu'il arrive.

Alar ne paraît pas du même avis. Alors que nous sommes enlacés, il se raidit, puis s'écarte de moi, si ténébreux que, si je ne le connaissais pas, je serais épouvantée. Son visage se change en tache sombre, comme lorsqu'il est en colère ou angoissé. Le froid cinglant qu'il dégage me transperce les côtes.

– Qu'est-ce...

Mon Dieu ! Il regarde en direction de la porte, derrière moi. Je me retourne en pressentant que ma petite bulle de bonheur ne va pas tarder à éclater à tout jamais.

– Aith !

Je soupire. Elle est immobile comme une statue, tendue, prête à exploser. Je m'interpose entre elle et Alar, craignant que mon amie n'ait une réaction bizarre. Je me demande comment gérer la situation. Je rougis à la pensée du spectacle que je viens de donner à Aith. Estomaquée, elle étudie mon expression coupable.

– Je suis passée te dire au revoir, lâche-t-elle, des sanglots dans la voix.

– Je vais t'expliquer, m'empressé-je de déclarer, profitant qu'elle soit encore sous le choc. Mais tu devras garder ça pour toi.

Je me tourne vers Alar et ses yeux noirs et nébuleux. À l'évidence, il ne s'attend à rien de bon de la part d'Aith. Je l'interroge du regard. Après tout, c'est son secret et non le mien que je vais révéler.

– Je pense que c'est ce que tu as de mieux à faire, murmure Alar. Aith te croit folle.

Aith est hébétée. Alar a raison, elle est persuadée que je ne tourne pas rond et il m'est douloureux de savoir qu'elle souffre par ma faute. Comment ai-je pu être aveugle au point de me figurer que mon amitié avec un spectre serait sans conséquences ? Aith n'avait pas besoin de ça.

– Viens, lui dis-je en lui adressant un signe de la main. N'aie pas peur.

Elle s'avance lentement.

– C'est plutôt toi qui ne dois pas avoir peur de moi, réplique-t-elle. Je vais appeler le docteur Fithmann, c'est un très bon médecin, ajoute-t-elle en fouillant dans sa poche.

Il va t'aider et tout rentrera dans l'ordre, tu peux me faire confiance, Liadan.

Ce Fithmann est son psychiatre.

– Non ! m'exclamé-je. Range ce téléphone, Aith ! Écoute-moi !

Elle s'arrête parce qu'elle sait que je suis paniquée, mais je constate qu'elle n'a pas l'intention de renoncer à téléphoner.

– Aith, Alar est ici, mais tu ne peux pas le voir.

– Il n'y a personne, Liadan, lâche-t-elle avec précipitation, au bord des larmes. Tu es seule ! Cet Alar n'existe que dans ton imagination.

– Tu te trompes, laisse-moi te le prouver, mais il faut me jurer de ne rien dire.

– Je te le jure, consent-elle, comme pour ménager un enfant. Mais si tu n'arrives pas à me convaincre, je contacterai Fithmann.

– D'accord.

Je sens que je vais bientôt fondre en larmes.

– Alar ! m'écrié-je.

Il se rapproche d'Aith, qui se met à frissonner et à exhaler de la buée. Elle sursaute au moment où les lumières vacillent, elle est consciente qu'il se passe quelque chose d'anormal, mais ne se résout pas à y croire. Je suis interloquée de constater qu'Aith ne voit pas Alar et ne peut le toucher alors qu'il est si réel à mes yeux. Tout compte fait, je suis peut-être folle.

Alar m'observe, attendant mes directives. Il est prêt à aller plus loin dans sa démonstration, j'en suis convaincue.

– Souviens-toi que tu as promis de garder le secret, insisté-je.

Elle inspecte la salle comme une biche aux abois.

– Aith, Alar va poser une main sur ton épaule.

Alar soupire, mais son souffle ne soulève pas les cheveux de mon amie et celle-ci ne remarque rien de particulier. Il lève une main et la laisse retomber lourdement sur l'épaule d'Aith, comme il l'a fait avec la dame de service.

Aith frémit et tressaille, cherche à fuir la chose qui vient de la toucher, mais qu'elle est incapable de distinguer. Effrayée, elle est forcée de reconnaître qu'elle l'a sentie. Pendant quelques secondes, je suis soulagée : même si elle me prend pour une folle, elle sait qu'Alar est ici. Elle pose sur moi un regard absent, si effaré que j'ai mal pour elle.

– Bonjour, Aith, je m'appelle Alar. Tu m'entends, je le sais. Je ne te veux que du bien.

Comment Alar peut-il être aussi sûr de lui ? Ses certitudes me troublent. Aith halète, laisse tomber son téléphone et quitte la bibliothèque en courant. Je suis trop sonnée pour réagir.

– Tu veux que je la rattrape ? me demande Alar.

– Comme tu l'as fait avec moi ? Non merci ! Si tu dois vraiment tuer quelqu'un, je préfère que tu t'en prennes à moi.

Je me précipite derrière mon amie dans l'espoir de la rejoindre.

*

Hormis le concierge, il n'y a pas un chat au château. Redoutant qu'il m'annonce qu'Aith vient de s'enfuir, épouvantée, je me garde de lui demander s'il l'a vue. Je cours en vain jusqu'au portail. Elle a laissé son téléphone dans la bibliothèque, mais elle est peut-être en train d'appeler le médecin d'une cabine. Je m'approche de la guérite des gardiens et les questionne.

– Elle est montée dans une voiture noire qui l'attendait devant la porte, mademoiselle. Si elle a oublié quelque chose, vous pouvez le laisser au concierge.

– Merci, leur dis-je.

Au bout de deux cents mètres, je me rends compte que je n'ai pas mon manteau. Mes affaires sont elles aussi restées dans la bibliothèque. Je cours à vive allure et n'ai pas froid. Malgré mon essoufflement, je ne m'arrête pas avant d'avoir atteint la maison de Keir, qui se trouve loin du lycée, si bien que je suis exténuée. En la voyant très peu éclairée, j'ai un mauvais pressentiment, ce qui ne m'empêche pas de sonner plusieurs fois de suite.

– Mademoiselle Montblanc ! s'exclame Mary, surprise par mon allure débraillée.

– Aith est là ?

– Non, mademoiselle, ils sont à l'aéroport. Mais elle avait l'intention de passer vous dire au revoir avant de partir. Dommage, vous avez dû vous croiser.

– Très bien, merci, bredouillé-je, les larmes aux yeux.

– Vous voulez entrer pour vous reposer un peu ? me propose-t-elle. Prenez au moins un manteau d'Aith, vous allez attraper froid.

– Ce n'est pas la peine. Le mien est dans la voiture d'un ami qui m'attend. À bientôt, Mary.

J'envisage sérieusement d'aller à l'aéroport mais je sais que ce sera une perte de temps. Alors, résignée, je retourne chez Malcolm, transie par le froid hivernal. Je m'efforce de ne pas penser au dénouement possible de cette histoire. Bien qu'elle soit mon amie, ou précisément pour cette raison, Aith me croit folle et ne ménagera pas ses efforts pour me faire suivre un traitement psychiatrique. Elle agira ainsi pour mon bien, contre ma volonté. Keir en sait lui aussi beaucoup trop, il ira peut-être informer Malcolm de mon état. Mon Dieu ! Pourvu qu'il se taise !

J'arrive à hauteur de Bruntsfield Park et cesse un moment de me tourmenter. Au loin, le type en uniforme de soldat de la Seconde Guerre mondiale m'observe. Lors de ces derniers jours éprouvants, je suis devenue hypersensible aux histoires d'amour difficiles et j'ai envie d'être généreuse envers ceux qui souffrent autant que moi. Je m'approche de cet homme, certaine qu'il s'agit de Jonathan, l'ami d'Alar et, une fois l'an, le fiancé de Caitlin.

Bien qu'une certaine distance nous sépare, je sais qu'il me voit marcher vers lui d'un pas résolu. Son air méfiant et ombrageux ne me surprend guère et je ne m'en effraie pas, tel un dompteur capable de maîtriser ses fauves. Je fixe sans ciller les nébuleuses noires qui occupent ses orbites. Attentive à ses réactions, je ne juge pas utile d'interrompre ma progression. Il est encore trop surpris pour vouloir se défendre.

Parvenue à quelques mètres de lui, je m'assure qu'il n'y a personne dans le parc afin d'éviter de passer pour une folle.

– Jonathan, lui dis-je. Caitlin te salue.

Il sursaute, surpris, mais pas agressif. Je ne pense pas qu'il soit dangereux. Entendre le prénom de sa dulcinée, même si je ne l'avais pas prévu, le met dans de bonnes dispositions à mon égard. Je peux à présent l'observer à loisir. Je ne me suis pas trompée : son uniforme est celui des unités écossaises qui ont intégré les troupes britanniques pendant la Seconde Guerre mondiale. Et, comme je l'avais deviné, la grande tache sombre qui s'étale de sa poitrine jusque sur son pantalon est le sang qu'il a perdu, qui semble encore frais. Je me demande s'il est humide et conclus que je ne serais jamais assez bête pour aller le vérifier. Je lève la tête et fixe ses yeux clairs, me demandant s'il est prudent ou non de m'approcher davantage.

– Que t'a-t-elle dit d'autre ? s'enquiert-il, laissant poindre sa curiosité derrière une façade hautaine.

– Qu'elle aimerait te voir et que...

Je me souviens alors qu'Alar m'a raconté qu'au lieu de profiter d'Halloween en amoureux, ils avaient essayé toute la nuit de le délivrer.

– ... Qu'elle espère que, l'an prochain, ce sera différent. Elle pense à toi. Je voulais aussi m'excuser...

Il s'adosse au muret devant lequel il monte habituellement la garde et prend une cigarette ou le fantôme d'une cigarette qui se consume sans doute depuis des années, puis me fait signe de venir m'asseoir près de lui. Je m'exécute, un peu effrayée.

– Ce n'était donc pas un accident. Je suppose que tu ne recommenceras pas.

– Bien sûr que non.

Il m'observe, à croire que mon attitude véhémente est plus parlante que mes propos, puis son regard se perd au loin pendant qu'il savoure sa cigarette.

– Tu pourrais me rendre un service ?

J'acquiesce et il m'adresse un grand sourire.

– Je voudrais savoir si une femme qui s'appelle Jeanine est encore en vie...

Il me raconte son histoire et ses craintes que l'éventuelle apparition de Jeanine ne le gomme de la surface de la terre. Je lui réponds que je vais me renseigner, et ma promesse scelle le début de notre amitié.

– Il vaudrait mieux que tu partes. Si tu mourais de froid, Alar ne serait pas content.

– Oui, tu as raison, mais ne lui dis pas que nous nous sommes parlé, d'accord ?

Il me scrute sans bouger et je m'aperçois qu'il a des éclaboussures de sang sur les joues. Il comprend ma demande et tient à me rassurer :

– J'emporterai ce secret dans ma tombe, murmure-t-il.

Je pouffe. Jonathan est le premier d'entre eux à plaisanter sur la mort. J'aimerais tant qu'Aith soit aussi légère... Espérons qu'il tiendra parole et que je trouverai le moyen de tenter la mort pour la convaincre de me laisser passer l'éternité avec Alar.

CHAPITRE 25
ALASTAIR

– Que s'est-il passé ? demandé-je samedi à Liadan dès qu'elle franchit la porte de la bibliothèque.

Elle aurait tout de même pu me dire bonjour. Cela fait près d'un jour que je me ronge les sangs à l'attendre. J'ai cru devenir fou. Les frontières qui me séparent du reste du monde ne m'ont jamais paru aussi détestables.

Liadan semble exténuée et abattue. Peut-être n'a-t-elle pas fermé l'œil de la nuit ? Comme elle est partie sans son manteau, hier soir, j'espère qu'elle n'a pas pris froid. Je contourne la table du bibliothécaire et me place derrière elle pour lui masser les épaules. Si on m'avait dit qu'un jour, je sentirais sous mes doigts ses muscles fuselés... Elle soupire, trop éprouvée par les derniers évènements pour marquer sa surprise.

– Je l'ai ratée, répond-elle. Je suis allée chez elle, mais elle était déjà partie pour l'aéroport. J'ai appelé Keir, qui m'a dit qu'elle dormait et était bouleversée. Quand il l'a questionnée, elle lui a expliqué que c'était à cause des examens, mais il a peur qu'elle ne fasse une rechute. Ce matin, elle m'a envoyé un SMS du téléphone de Keir. Elle veut qu'on se voie à son retour.

– Et toi, qu'en penses-tu ?

– Elle ne dira rien, tu peux être tranquille, mais sa santé me préoccupe. Quant à Keir, il me prend pour une folle. Il s'est fâché en apprenant que je m'étais approchée du lac et redoute que je fasse une dépression.

Liadan se tait, reprend sa respiration avant de poursuivre. Je sens qu'elle a quelque chose de plus délicat à m'annoncer.

– Et moi, je suis inquiète pour toi. Nous le sommes tous.

– Pour moi ? m'exclamé-je, étonné, avant de comprendre ce qu'elle veut dire.

Je m'assois sur la table pour qu'elle ne tente pas de s'esquiver.

– Liadan, enchaîné-je d'un air grave, je n'ai pas du tout aimé ton comportement d'hier. Je ne vais tuer personne, toi moins que quiconque.

– Ça me serait bien égal, avoue-t-elle en toute franchise.

– Sois raisonnable. On doit en rester là, un point c'est tout. Tu vas partir et on sera séparés. On n'aurait jamais dû se rencontrer.

– Oh non ! s'écrie-t-elle d'une voix enfantine, comme Caitlin lorsqu'elle était petite et que ses parents refusaient de lui passer un caprice. Pourquoi ? Pour une fois qu'un garçon me plaît, il faut qu'il soit mort ! Je ne veux pas te quitter, Alar, gémit-elle, ses grands yeux noirs empreints de détermination, puis elle hésite : À moins que... que tu n'aies plus envie de me voir...

Son expression est celle de la peur. Ému de sentir toute la force de ses sentiments, j'ai une bouffée d'amour pour elle. Je lui dois une explication.

– Au contraire, si tu pars, tu me manqueras atrocement.

Elle esquisse un sourire et je me demande si, comme moi, elle a envie d'un baiser. Je m'interdis de passer à l'acte en songeant que ce ne serait bon ni pour elle ni pour moi.

– Dans ce cas, je vais me débrouiller pour ne pas avoir à te quitter, m'annonce-t-elle. C'est aussi simple que ça.

Elle est insensée. En principe, c'est moi qui suis têtu, mais Liadan n'est pas en reste : lorsqu'elle a une idée en tête, elle n'en démord pas. Nous passons des heures à discuter. Mes arguments glissent sur elle sans l'atteindre. Je m'énerve, contrairement à elle, qui garde son calme et se contente d'enfiler son manteau pour résister au froid déclenché par ma colère. Elle me rappelle les guerriers qui s'apprêtent à partir au combat, conscients du chemin qu'ils doivent emprunter et disposés à le suivre jusqu'au bout.

– Tu sais, Alar, me dit-elle à la nuit tombée après avoir consulté sa montre. Tu as deux solutions : soit tu continues de parlementer sans profiter des moments qu'on passe ensemble, soit tu te fais une raison parce que j'arriverai à mes fins. Si jamais je n'obtiens pas ce que je veux, je te laisserai tranquille et partirai pour ne plus jamais te revoir.

– Tu sais bien que ce n'est pas ce que je souhaite, susurré-je.

Je viens de tomber dans le piège qu'elle m'a tendu.

– Alors laisse-moi agir comme je l'entends et t'apprécier sous ton meilleur jour, calme et apaisé. Attends au moins qu'on ait trouvé une solution et cesse de te tourmenter. En fait, je n'ai aucune envie de mourir.

Elle m'observe, guettant ma réaction. Bien qu'elle soit très sûre d'elle, je lis dans ses yeux que mon opinion est d'une importance capitale. Je ne peux pas la décevoir, mais, d'un autre côté, je refuse qu'elle mette fin à ses jours. Cela ne m'importerait guère si j'étais sûr qu'elle reste à mes côtés, mais nul n'est en mesure de prévoir le sort que la mort lui réservera.

Je me penche vers elle et l'embrasse tendrement, comme si nous étions un couple normal en train de se réconcilier après une brouille. À force d'observer les jeunes du lycée, j'ai fini par les connaître.

Lorsque je m'écarte d'elle, Liadan sourit. Pour nous, ce moment est magique, mais nous préférons ne pas en parler. Tenté de la retenir et de la garder à mes côtés, je la laisse pourtant quitter la bibliothèque.

– À demain.

– À demain, Alar.

Je la regarde s'éloigner, puis disparaître. Je songe qu'au-delà des grilles, elle ne peut bénéficier ni de ma protection ni de mon influence.

*

À mon grand désespoir, les jours suivants sont les plus agréables de mon existence. Implicitement, nous avons renoncé à discuter de notre éventuelle séparation et préférons aborder d'autres sujets. Liadan consacre quelques heures à étudier, mais sa grande intelligence la dispense de trop travailler. Nous ne pouvons résister à la tentation de passer de longs moments enlacés, oubliant tout le reste. Même si nous sommes très différents, nous apprécions d'être ensemble et j'éprouve pour elle un désir que j'ai rarement ressenti. Nos baisers sont de plus en plus passionnés, mes mains deviennent aventureuses et celles de Liadan m'étreignent avec force. Son attirance est aussi violente que la mienne.

Lorsque nous avons conscience d'aller un peu trop loin, nous nous regardons et nous éloignons l'un de l'autre avant d'éclater de rire et de poursuivre nos tâches respectives, puis nous observons le silence, sachant qu'il n'est pas bon de se laisser emporter par ses sentiments. La menace de la séparation plane toujours sur nous.

Liadan, qui lit en moi comme dans un livre ouvert, n'ignore pas que, quand je songe à son départ, mon caractère impulsif tente de dominer ma raison. Elle ne semble pas s'en formaliser. Si aujourd'hui je lui annonçais que je vais l'entraîner dans ma tombe, elle se laisserait faire sans opposer la moindre résistance.

Je préfère donc éviter de remettre cette histoire sur le tapis pour ne pas être confronté à son désir morbide de venir me rejoindre. Nos soirées sont de plus en plus plaisantes. Nous sommes plongés dans une routine à laquelle je n'ai aucune envie de renoncer. Le matin, je poursuis mes recherches et les explique à Liadan, qui comprend pourquoi je tiens à connaître les limites exactes du territoire auquel je suis rattaché.

– Tu pourrais marcher jusqu'au moment où tu serais obligé de t'arrêter, me conseille-t-elle quand je lui dis qu'il m'est impossible d'aller au-delà du terrain où se trouvait l'ancienne tour.

– J'ai déjà essayé, réponds-je, soucieux de bien lui faire comprendre ma situation. Si je m'aventure trop loin, je risque de quitter ce monde sans savoir quand je pourrai revenir, un peu comme le soir où tu m'as renvoyé dans ma tombe. Il y a quelques siècles, j'ai fait cette expérience, mais je suis resté si longtemps dans les limbes que je n'ai pas voulu recommencer. J'ai peur de m'égarer à jamais. Caitlin, contrairement à moi, sait quelles sont les frontières de son univers attitré.

– Pourquoi est-ce ainsi ? On dirait que quelqu'un a voulu vous punir ! s'écrie Liadan en fronçant les sourcils.

Je hausse les épaules. Moi aussi, je me suis souvent posé la question. Qu'avons-nous fait pour être torturés ainsi ? Malheureusement, je ne crois pas qu'il s'agisse de la décision d'une volonté supérieure, mais plutôt d'une règle de physique. Comme l'électricité qui reste à un endroit donné lorsque la foudre tombe. Plongé dans ces tristes pensées, je sens la main de Liadan m'effleurer le bras. Ses lèvres et ses yeux souriants me réchauffent le cœur et me libèrent de mes tourments, à croire que j'ai enfin trouvé un remède à mon étrange purgatoire.

Les jours s'écoulent et la bibliothèque est devenue notre foyer. Elle a toujours été le mien, mais j'ai l'impression que Liadan s'y sent aussi chez elle. Elle n'a raté aucun de nos rendez-vous, sauf le jour de Noël. Le lendemain, elle vient me raconter son réveillon. Même si elle ne me le dit pas, je suis convaincu de lui avoir manqué. Je songe avec amertume qu'elle aurait aimé que je l'accompagne, comme un garçon normal qu'on présente à ses proches et dont on peut parler sans être entravé par le secret.

Je suis surpris quand elle me montre le joli diadème orné de fleurs qu'elle serre dans sa main et destine à Caitlin. Nous descendons jusqu'au lac. Sachant que Caitlin sera incapable de le toucher, je me demande comment Liadan va procéder. Je la soutiens pour qu'elle ne glisse pas sur l'herbe couverte de givre et nous nous sourions avant d'admirer l'éclat qui émane de Caitlin par cette sombre journée d'hiver.

– Bonjour, Caitlin, lui dit-elle dans un semblant d'étreinte, sans se soucier d'être mouillée. Je sais qu'Alar n'a jamais fêté Noël, ajoute-t-elle. Mais j'ai apporté un cadeau pour toi.

Elle lui montre la parure. Caitlin la contemple d'un air douloureux: elle ne pourra jamais la porter. Liadan se dirige alors vers la rive et jette la couronne dans l'eau glacée. Elle flotte à la surface et les fleurs brillent dans le couchant. Caitlin s'enfonce dans les profondeurs, puis glisse la tête dans le diadème, ce qui donne l'impression qu'elle en est coiffée. Elle regarde Liadan sous l'eau, son visage de noyée rayonnant de bonheur.

Son sourire est aussi radieux que celui que m'adresse Liadan. Je le lui rends, plein de gratitude à son égard, et nous nous prenons la main en observant Caitlin batifoler dans l'eau. Elle arrive presque à tenir la couronne, comme si Cerridwen, la déesse galloise de la transformation, venait de la délivrer d'un mauvais sort. Je n'oublierai jamais cet instant magique.

Nous vivons un bonheur parfait qui ne durera que quelques jours, le temps que les cours reprennent et que les élèves reviennent.

CHAPITRE 26
LIADAN

C'est le dernier dimanche qu'Alar et moi passons seul à seule. Nous avons tout l'après-midi devant nous avant l'arrivée d'Aith, qui devra affronter la vérité, et la reprise des cours. Cette fois, je ne fais même pas semblant d'étudier et laisse les lumières éteintes. J'entre dans la bibliothèque, pose mon sac sur la table, m'empresse de retirer mon épais manteau pour me réfugier dans les bras d'Alar. Lorsque je sens son étreinte se resserrer, m'entourant d'une douce sécurité, je souris comme une idiote trop romantique. C'est étrange, car sa force est aussi physique qu'éthérée.

Nos lèvres se rejoignent, nous ne faisons rien pour l'empêcher, heureux de nous abandonner l'un à l'autre. Je ne résiste pas, tout est si naturel... Je l'attire vers moi en serrant ses cheveux auburn entre mes doigts. Il sourit, je ne pense plus à rien, concentrée sur lui, les yeux plongés dans les siens, écoutant les mots qu'il murmure. Ses mains et ses lèvres effleurent ma peau et son contact m'emplit d'une énergie bien réelle. Je n'ai jamais éprouvé autant de plaisir.

*

Une heure plus tard, nous reprenons place autour de la table du bibliothécaire. Alar étudie quelques manuscrits des archives tandis que je planche sur ma chimie. Nous sommes calmes, comme si rien ne s'était passé entre nous, mais échangeons des regards complices. Je l'aime, oui, je l'aime, et je sais que c'est réciproque. Nous n'avons pas besoin de mots pour exprimer nos sentiments amoureux ou notre tristesse à l'idée d'une séparation prochaine. Alar n'ignore pas que je souhaite rester à ses côtés et redoublerai d'efforts afin d'y parvenir. Sous l'apparence d'une normalité paisible, le chaos nous guette.

J'entends tourner la poignée de la porte. Nous sursautons. En principe, personne ne vient ici le dimanche. Les yeux rivés sur l'entrée, Alar réagit avec rapidité et pousse ses documents de mon côté, comme si j'étais la seule à travailler à ce bureau.

– Aith ! m'exclamé-je, stupéfaite.

Heureusement qu'elle n'est pas passée il y a une heure. Telle est la première pensée qui me vient à l'esprit et me fait rougir. Dans un deuxième temps, je me réjouis de sa présence et j'ai très envie de l'embrasser, mais je n'ose pas. L'autre jour, notre altercation m'a emplie d'amertume, car Aith est ma meilleure amie.

– Bonjour, je sors de chez toi. On m'a dit que tu étais ici, déclare-t-elle en souriant.

Je me lève et la serre dans mes bras. Elle répond à mon étreinte avec sa délicatesse habituelle. Je n'arrive pas à refouler mes larmes.

– Tu es seule ? me demande-t-elle, très sérieuse, quand nous nous écartons l'une de l'autre.

Je mets quelques secondes à réaliser que sa question est en quelque sorte une acceptation des faits.

– Non.

– Où est-il ? murmure-t-elle en regardant autour d'elle.

Je désigne une des chaises autour de la table. Elle lève une main d'un geste timide.

– Bonjour, Aith ! s'écrie Alar sans bouger, attendant de voir ce qui va se passer.

Elle semble désorientée. Elle sait qu'Alar est ici, mais ignore où il se tient.

– Je... je l'entends..., bredouille-t-elle. Mais je ne comprends pas, c'est... comme un écho.

– Il t'a dit bonjour, expliqué-je à Aith. Il est désolé de t'avoir fait peur, l'autre jour.

– Mon Dieu, Lia ! Pendant toutes les vacances, j'ai cherché à me convaincre que j'avais rêvé, que c'était le fruit de mon imagination...

– Alar, est-ce que tu pourrais soulever une pièce de monnaie ou un autre objet ? lui demandé-je en pensant au film *Ghost*.

– Ce n'est pas une bonne idée, ton amie est au bord de l'évanouissement, souffle-t-il sans détacher ses beaux yeux verts d'Aith. Elle a toujours senti notre présence et c'est pour ça qu'elle a dû suivre un traitement psychiatrique. Ça va être difficile pour elle d'admettre la véritable cause de ses prétendus troubles mentaux.

Il a raison. Aith me regarde, puis se tourne vers son interlocuteur invisible, effrayée comme un faon aux abois. Alar murmure quelque chose qui m'échappe et se lève.

– Dis-lui que je veux la saluer et qu'elle ne doit pas avoir peur.

– Aith, Alar va te prendre la main, alors reste où tu es, ne te sauve pas.

Elle accepte avec plus de courage qu'elle n'en a en réalité et attend. Alar se plante devant nous, m'embrasse sur le front et saisit doucement le poignet d'Aith, qu'il soulève et caresse tandis qu'Aith examine son bras pétrifié. Elle part d'un petit rire hystérique lorsque Alar lui serre la main, comme on le fait en temps normal. Elle craint davantage sa supposée folie qu'Alar. Reconnaître la présence de fantômes implique un bouleversement de son univers. Elle va commencer par s'énerver contre les médecins, qui lui ont fait croire à une dépression alors qu'elle découvrait que nous ne sommes pas seuls.

– Je suis ravi de te connaître, Aith. Liadan m'a dit beaucoup de bien de toi, déclare Alar.

Je m'empresse de répéter ses paroles à mon amie.

– Ce n'est pas possible ! Tu es vraiment là ? souffle-t-elle, encore incrédule et alarmée, mais plus calme qu'auparavant.

En guise de réponse, Alar fait clignoter les lumières. Aith sursaute.

– Et les vampires ? Ils existent eux aussi ? demande-t-elle dans un filet de voix.

Alar s'exprime, puis je prends le relais.

– Il l'ignore. Tu sais, il ne sort pas souvent. Tu en as déjà vu ?

Elle comprend qu'il ne s'agit pas d'une plaisanterie. Nous nous consultons du regard, animées toutes deux des mêmes pensées : si Alar est présent, pourquoi d'autres entités ne hanteraient pas cette terre ? J'espère que non. Il y a une explication physique à la présence d'Alar. Je ne vois pas pourquoi les vampires devraient être eux aussi des réminiscences électriques de leur esprit absent.

– Il faut que je m'assoie, susurre Aith.

Je m'installe en face d'elle à la table du bibliothécaire, Alar reste debout à mes côtés. Aith observe la salle avec crainte, son beau visage encore troublé. Je suppose qu'elle ne se lassera jamais de le chercher, bien que consciente qu'elle n'y parviendra jamais.

– Il est ici, près de moi, lui dis-je en posant une main sur la jambe d'Alar.

– J'aimerais lui poser une question, souffle Aith en baissant la tête.

– Vas-y, il sera ravi, affirmé-je pour l'encourager.

Aith nous raconte alors ce qui s'est passé lorsqu'elle est sortie du coma, une histoire que je ne connais que partiellement. Quand elle s'est réveillée, elle avait l'impression que son esprit s'était détaché de son corps pendant des mois et qu'elle ne pouvait pas regagner son enveloppe charnelle. Elle n'a que des souvenirs confus de cette période, mais se rappelle la sensation angoissante d'avoir repris possession de son corps après en avoir été exilée. Parfois, elle entendait des choses étranges, comme des échos de voix. Les médecins n'ont pas réussi à la convaincre qu'elle délirait et elle a dû consulter un psychiatre et prendre des cachets. On l'a ensuite persuadée que rien de ce qu'elle avait vécu n'était réel, mais que ces phénomènes étaient la manifestation d'une névrose causée par le choc de l'accident et son long coma.

– Et maintenant..., chuchote-t-elle en se tordant les mains, les yeux rivés au sol.

– Tu n'as pas rêvé, la rassure Alar. Un jour, à Halloween, je me suis promené dans les hôpitaux pour y chercher des connaissances. Quand le corps faiblit, il n'est pas rare qu'on s'en détache. C'est sûrement ton cas. Si tu es restée en vie, c'est que tu étais ancrée à ton corps jusqu'à ce que tu puisses te le réapproprier. Je ne sais pas trop comment ça marche, Aith. Pour nous aussi, ce phénomène reste mystérieux. En tout cas, arrête de penser que tu es folle et dis-toi que tu as plutôt eu de la chance.

Je lui précise qu'elle n'est pas la seule à entendre des voix. Cela s'appelle la psychophonie. Nous sommes l'une et l'autre un peu bizarres. Aith se lève.

– Merci, dit-elle. Merci beaucoup, vraiment, ajoute-t-elle en se tournant vers Alar.

Malgré ses yeux humides, elle sourit.

– Tu peux rester, j'étais en train de travailler, lui proposé-je.

– Non, il faut que je parte. Je crois que j'ai eu assez d'émotions pour aujourd'hui.

Je me rends compte qu'elle frémit. Elle est toujours effrayée. Je la raccompagne jusqu'à la porte, heureuse qu'elle soit si courageuse et touchée que, par amitié pour moi, elle n'ait pas hésité à affronter la situation. Je ne suis plus inquiète, je lui fais entièrement confiance.

– Alar ? l'appelle-t-elle en souriant. Tu sais que, quand je me concentre, j'arrive presque à comprendre ce que tu dis. On se voit demain, ajoute-t-elle à mon intention. Au revoir.

Les lumières clignotent, signe qu'Alar lui souhaite une bonne soirée. Je suis soulagée. J'étais sûre qu'Aith ne me laisserait pas tomber. D'après la mine réjouie d'Alar, je pense qu'il est content de l'avoir rencontrée. Je cours me réfugier dans ses bras. En fin de compte, tout s'est bien passé.

*

La tension accumulée ces derniers jours s'est relâchée. Bien que les examens approchent et que ma vie risque ensuite de changer, j'ai connu le bonheur. Aith, ma meilleure amie, partage mon secret. Même si elle se fait du souci, elle est satisfaite de me voir amoureuse. Elle ne m'assaille pas de questions sur les spectres, je crois qu'elle préfère ne rien savoir. Une fois seulement, elle m'a demandé pourquoi j'étais la seule à sentir le contact d'Alar. Quand je lui ai rétorqué qu'il était perceptible par le toucher, mais qu'en général il n'aimait pas poser la main sur des humains, ma réponse lui a déplu. L'idée que ceux dont elle entend les voix pourraient la frôler la panique. Je la réconforte en lui disant que nous ne vivons pas entourés de fantômes. La plupart des bruits n'étant pas surnaturels, il n'y a pas de quoi s'affoler.

– Il y avait déjà des esprits avant que tu sois informée de leur existence. Que tu les connaisses désormais ne va pas changer grand-chose, conclus-je.

Nous sommes toutes deux conscientes de leur présence, mais j'ai un avantage sur elle, puisque je les vois.

Il lui arrive parfois de m'accompagner à la bibliothèque. Elle m'apprend que pendant les vacances, Keir a rencontré une fille, Gala. J'accueille la nouvelle avec joie ; j'ai désormais un prétexte pour me détacher de lui. J'ai parlé à Aith de Caitlin, Bobby, Annie et Jonathan. Elle s'étonne que je les traite comme des êtres réels, alors que sa perception à elle est plus diffuse. Cependant, elle comprend de mieux en mieux Alar. Débarrassée de sa supposée schizophrénie, elle est en pleine forme.

En revanche, je me fais du souci pour Annie. À l'insu d'Alar, je lui rends souvent visite le matin. Elle est si seule... Maintenant que nous allons tous bien, son amertume m'est encore plus douloureuse. Vendredi, en gagnant le Red Doors pour assister à un concert de Keir, je me baisse pour caresser Bobby. Lui aussi manque de compagnie.

– Viens avec moi, tu veux ? chuchoté-je en le prenant discrètement dans mes bras.

Le petit animal se raidit : à l'évidence, personne ne l'a jamais porté et il ne semble pas apprécier. Ses yeux s'assombrissent, il devient effrayant. Je m'arrête pour le rassurer.

– Ne t'inquiète pas, il ne va rien t'arriver de mal, murmuré-je en lui caressant les oreilles. Fais-moi confiance, Bobby.

Je continue de marcher. Au coin de la rue Victoria, je sens un courant d'air peu naturel. Je secoue la tête pour chasser des mèches rebelles et vois un homme m'observer au bout de la rue. Après avoir constaté qu'il s'agit d'un vivant, je poursuis mon chemin. Ce souffle glacial provient sans doute d'autre part. J'ai appris à moins me préoccuper du regard des autres, sachant qu'il y a beaucoup d'excentriques de par le monde. Si je suis trop nerveuse, je ne ferai qu'attirer davantage leur attention.

Je me dirige vers le Mary King's Close et déclare aux guides qu'hier matin, j'ai oublié mon carnet. J'essaie de m'exprimer avec naturel, comme si je n'avais pas de chien dans les bras. Habitués à mes visites, ils me laissent descendre seule sans m'obliger à attendre le groupe de touristes. Je m'empresse de gagner la chambre d'Annie.

– Liadan ! s'exclame-t-elle, ravie de mon passage inopiné.

Elle quitte sa place à côté du coffre à jouets et s'approche en sautillant. Un large sourire égaye son visage pustuleux.

– Tu te souviens de Bobby, le petit chien dont je t'ai parlé ?

Je lâche le terrier. Il ne se tient plus de joie en voyant que deux personnes s'occupent de lui à présent. Il aboie, se couche en remuant la queue, essaie d'attraper le ruban de la chemise d'Annie, qui se penche et le prend, aussi heureuse que lui.

– Maintenant, vous pourrez jouer tous les deux, lui dis-je en passant une main dans ses cheveux. Il faut que j'y aille.

Radieuse, elle essaie d'esquiver Bobby qui lui bave dessus.

– Tu reviendras ? me demande-t-elle.

– Tu sais bien que oui.

Je remonte l'escalier à vive allure, heureuse d'avoir pensé à emmener Bobby. Tout le monde est satisfait.

*

En arrivant au Red Doors, j'ai cependant une légère déconvenue. Aith est sur les nerfs.

– Keir s'inquiète toujours pour toi, m'annonce-t-elle quand je m'assois à ses côtés avant le début du concert. Il s'imagine que je te défends pour te protéger, et parce que je refuse de croire que tu as un problème psychologique, il est persuadé que j'ai fait une rechute.

Je pousse un soupir déçu. Nous écoutons les musiciens sans échanger un mot. Je ne peux m'empêcher d'être triste. Je sais que Keir agit ainsi pour mon bien, mais je calcule que mon bonheur parfait n'aura duré que quatre jours. Je me demande quels autres problèmes m'attendent encore.

À la fin du concert, Keir s'avance vers nous en écartant des mèches blondes de ses yeux, comme si tout allait pour le mieux dans le meilleur des mondes. Il plaisante et discute avec ses amis, pourtant je sais qu'il surveille chacun de mes mouvements. « Ça lui passera », me dis-je. Pour rentrer chez nous, nous passons devant le Eatings et je souris en constatant que Bobby ne monte plus la garde devant la porte.

– Tu veux que je te raccompagne ? me propose Keir lorsque nos chemins se séparent.

– Ce n'est pas la peine.

– Tu n'as plus peur du type de Bruntsfield Park ? Je ne l'ai jamais vu, mais...

– Tu ne risques pas ! m'exclamé-je en riant.

Un regard d'Aith suffit à me faire comprendre que je dois m'expliquer davantage.

– J'ai traversé le parc tous les jours pendant les vacances et je ne l'ai pas croisé. Il ne m'arrivera rien, ajouté-je.

D'ailleurs, Jonathan est le protecteur d'Alar dans cette zone de la ville, ce dont Keir ne peut pas se douter.

– Bon, à demain, lâche Aith comme si de rien n'était.

*

Évidemment, je m'arrête pour saluer Jonathan et lui donner des nouvelles de Caitlin, dont les messages sont un peu fleur bleue tandis que ceux de Jonathan, trop crus, me font rougir, mais je suis ravie de pouvoir leur être utile.

Aujourd'hui, pendant que nous parlons de sa vie passée, j'entends des jappements familiers quoique inattendus. Telle une petite boule noire et poilue, Bobby court dans notre direction. Je me baisse pour le caresser. L'air est devenu glacial parce que Jonathan a peur. Je remarque que, lorsque la panique le gagne, sa tache de sang est plus fraîche. Comme les fantômes sont étranges...

– Bobby ! s'écrie-t-il. Mais pourquoi...

Il me lance un coup d'œil suspicieux. Je crois qu'à présent, c'est moi qui l'effraie.

– Je l'ai emmené chez Annie. Ils étaient très seuls, tous les deux. Allez, Bobby, retourne avec Annie ! Avec Annie !

Il aboie et s'éloigne rapidement vers le Royal Mile.

– Tu vois ? Il m'obéit. Tu sais, Jonathan, je ne peux pas rester longtemps, alors à très bientôt.

Je tourne les talons. D'après sa tête, je suis sûre qu'il ne gardera pas longtemps ce secret, mais ce n'est pas grave...

CHAPITRE 27
ALASTAIR

Hier, en raccrochant après le coup de fil de Jonathan, je n'en croyais pas mes oreilles ! Qu'est donc allée faire Liadan avec Bobby et comment s'y est-elle prise ? Parfois, elle ne réfléchit pas et se laisse emporter par ses émotions. Certes, elle est pure et pleine de bonnes intentions, mais elle risque de s'attirer des ennuis. Il m'arrive de me laisser moi aussi dominer par mon instinct, mais je suis animé de sentiments moins pacifiques. Voilà pourquoi je ne l'ai pas accompagnée en cours. J'attendrai de la retrouver à la bibliothèque en fin d'après-midi pour régler mes comptes avec elle.

Troublé, je génère des baisses de tension. Lorsque je suis sûr que tous les élèves ont quitté les lieux, je me dirige vers la bibliothèque, ouvre la porte, regarde fixement ma proie. Elle est avec Aith, mais il n'y a personne d'autre. L'air glacial se répand dans la salle et les lumières clignotent à un rythme effréné. Je suis furieux que Liadan ne cille pas devant ma colère. Mon visage s'assombrit.

– C'est Alastair ? murmure Aith.

– Oui, du calme. Il est fâché à cause de moi.

Je m'approche d'elle et me penche sur la table, mon visage tout près du sien. Un petit vent se lève et fait s'envoler les papiers éparpillés sur le bois.

– Aith est morte de peur, Alar, me dit Liadan, comme pour me ramener à la raison.

– Désolé, tonné-je.

Liadan se tourne vers Aith, qui se tient aux accoudoirs de son siège.

– Il dit qu'il est désolé, traduit Liadan, mais ne t'en fais pas, ses colères sont de vrais feux de paille.

– Ça aussi, c'est ce qu'il dit ? s'étonne Aith, qui a peut-être compris le sens de mes paroles.

– Non, avoue Liadan. Jonathan est un mouchard, ajoute-t-elle en se levant.

– Où vas-tu ? lançons-nous à l'unisson, Aith et moi.

– Le tuer ! s'exclame-t-elle d'une voix presque aussi caverneuse que la mienne.

– Il est déjà mort, lui rappelé-je, amusé, tandis que mon courroux s'évanouit.

– Oui, mais, cette fois, ce sera pour de bon.

Je me précipite vers elle et la retiens par la taille tandis qu'elle se débat, indignée.

– Je vais lui amener sa fiancée, Jeanine, et il disparaîtra de ce monde ! Lâche-moi !

– Non. Maintenant, c'est toi qui effraies Aith.

Liadan tente de se dégager pour se tourner vers Aith, qui tremble à la vue de son amie qui lutte dans le vide.

– Très bien, tu as gagné, souffle Liadan en baissant les bras.

Je desserre mon étreinte mais reste près la porte, au cas où. Une fois sûr qu'elle ne va pas s'enfuir, je fronce à nouveau les sourcils. Elle a failli me faire oublier que j'ai de bonnes raisons d'être furieux.

– Je peux savoir ce que tu as fait, au juste ?

– J'ai l'impression d'avoir déjà vécu cette scène, me lance-t-elle d'un ton espiègle. Annie et Bobby étaient très seuls, je me suis juste débrouillée pour les réunir.

– Mais tu as sorti Bobby de son territoire ! Bon sang, Liadan, comment y es-tu parvenue ? Jonathan a failli avoir une attaque quand il l'a vu courir vers vous. Il peut donc se promener dans toute la ville ?

– Je crois, oui. Avant qu'on aille au Mary King's Close, il m'a accompagnée jusqu'au lycée, répond-elle d'une voix douce, comme si elle parlait de la chose la plus naturelle du monde.

– Tu aurais pu le tuer pour de bon. En le détachant de son lien, tu risquais de le faire disparaître à jamais.

Liadan pâlit à mesure que je parle.

– Je n'y ai pas pensé.

– Liadan, lui dis-je en serrant ses mains dans les miennes. Comment as-tu fait ?

– Je n'en sais rien, bredouille-t-elle avec sincérité. Je l'ai pris, voilà tout, et je l'ai emmené avec moi. Il n'avait pas l'air mal, je crois qu'il me fait confiance, et maintenant il est content.

Je soupire et renonce à discuter davantage avec elle. Elle n'est pas en mesure de comprendre que, si Bobby ne s'est pas désintégré en chemin, c'est qu'elle a accompli un miracle.

— Promets-moi de ne jamais recommencer. La prochaine fois, tu pourrais avoir moins de chance.

– Tu as ma parole, s'empresse-t-elle de dire. Je regrette infiniment.

Je lui caresse la joue du plat de la main. Sa mine penaude m'arrache un sourire, car elle a agi pour le bien de Bobby et par générosité. J'approche son visage du mien et l'embrasse. Je suis amoureux d'elle. Quand je m'éloigne, elle rougit, regarde Aith et hausse les épaules. Son amie a une expression absente. Sans doute trouve-t-elle bizarre de voir Liadan s'agiter ainsi, sans qu'elle distingue son interlocuteur.

– Tu crois qu'on aura un moment d'intimité, tout à l'heure ? demandé-je en enlaçant Liadan par la taille.

Son visage s'empourpre davantage.

– Tais-toi ! Si tu continues, je m'en vais. Bon. Je propose qu'on se mette au travail.

Aith semble émerger de ses pensées et acquiesce avant de sortir des livres de son sac. Quand je prends une troisième chaise pour la placer à côté de la table, elle se pétrifie.

– Désolé, lui dis-je.

– Il ne voulait pas te faire peur, explique Liadan.

– Je l'ai entendu, répond Aith, les yeux rivés sur le siège en mouvement. Évite peut-être de déplacer les chaises quand les autres élèves viendront étudier ici avant les examens.

– Ne t'inquiète pas ! répondons-nous en chœur.

*

Comme Aith l'avait prédit, la semaine suivante, les élèves affluent, et nous ne pouvons plus être seuls. Heureusement, le bureau des archives reste vide à cause du froid que j'y fais régner. Liadan a laissé un gros pull sur l'un des rayonnages en prévision des moments que nous passons ensemble. C'est l'unique endroit où j'ose l'embrasser, sachant que, lorsque nous commençons, nous ne pouvons plus nous arrêter et qu'il serait dangereux que quelqu'un nous voie, la voie. Je songe avec tristesse qu'il en sera ainsi jusqu'à la fin de l'année. Ensuite, Liadan partira.

– Qu'est-ce que tu as ? me demande-t-elle un vendredi après-midi, alors que je suis plongé dans ces idées noires.

Je lui souris et dépose un baiser sur ses cheveux.

– Rien. Tu devrais retourner dans la salle, ça fait plus d'une demi-heure que tu es aux archives. Les élèves vont trouver ça louche.

Elle m'entoure de ses bras.

– Je m'en fiche, rétorque-t-elle.

– Moi non ! m'exclamé-je en pouffant, le menton calé sur sa tête.

Je la pousse doucement vers la porte.

La sonnerie de mon téléphone retentit au moment où nous nous apprêtons à sortir. Liadan sursaute et s'immobilise, blanche comme un linge. Deux étudiants assis non loin de là l'observent, intrigués.

Il lui est très difficile de faire semblant de ne pas m'entendre, de se souvenir qu'aux yeux des autres, je n'existe pas.

– Du calme, Liadan. Ils ne perçoivent pas ma présence, lui dis-je pour l'inciter à se comporter avec naturel. Jonathan ?

– Salut, Alar. Il faut qu'on parle. C'est au sujet de Liadan.

– Un instant.

Je fais signe à Liadan qu'elle peut s'éloigner. Elle me lance un regard méfiant, mais je ne cède pas.

– Que se passe-t-il ?

J'ai un mauvais pressentiment.

CHAPITRE 28

Aith

J'ai du mal à me concentrer sur mon travail. À l'approche des examens, Liadan et moi passons des journées éprouvantes : nous étudions toute la matinée, puis, de trois à six heures, je lui tiens compagnie à la bibliothèque avant d'aller téléphoner à Brian. J'ai cependant l'impression de perdre mon temps. L'histoire de la littérature me semble bien peu de chose à côté de l'existence des morts, et savoir que ma meilleure amie est tombée amoureuse de l'un d'eux n'arrange rien à l'affaire. Quand je pense que j'ai moi aussi failli devenir un pur esprit et que je n'en ai pas touché mot à Brian...

J'observe les trois murs du box où je me suis installée pour essayer d'avancer dans mes révisions, mais n'arrive pas à m'atteler à la tâche. J'entends le bruit des stylos de mes camarades assis dans d'autres petits box et, de temps à autre, leurs soupirs. J'aimerais avoir les mêmes préoccupations qu'eux et pouvoir me focaliser uniquement sur mes livres.

Tout à coup, je sens un poids tiède se poser sur mon épaule droite et je me fige. Il n'y a personne derrière moi, pourtant une main invisible imprime une pression suffisante sur mon épaule pour m'empêcher de me lever et de prendre les jambes à mon cou. J'essaie de garder mon calme.

– Alastair ?

– Oui, parviens-je à entendre.

Il prononce d'autres mots dont je ne saisis pas le sens. Je le lui fais savoir.

Je ne bouge plus, sur le point de tomber dans les pommes en voyant mon crayon se soulever et chercher une feuille blanche. Je ne me suis jamais trouvée seule en compagnie d'Alar, sans la protection de Liadan. Les mains tremblantes, je prends un papier et le pose sur le bureau.

C'est Alar.

Son écriture est étrange, comme surgie d'un autre temps.

Ne crains rien, il faut juste que je te parle.

– Très bien.

– Si tu veux téléphoner, fais-le dehors, me conseille une voix dans un box voisin.

Le crayon se remet en mouvement.

Quelqu'un suit Liadan. L'un des vôtres.

Je m'empare d'un stylo pour lui répondre par le même procédé. Je sens un instant un contact tiède sur mon poignet, comme si je venais de le passer sous un jet d'eau chaude.

Tu m'as traversé le bras, écrit Alar. *Tu as remarqué ?*

Je hoche la tête, émue. C'était bizarre, mais très réel.

Qui la suit ? demandé-je.

On l'ignore, mais Jonathan l'a vu, l'autre soir. Il prenait des notes sur un cahier.

– Oh, non ! murmuré-je.

Une voix s'élève à nouveau, me priant de garder le silence.

Ça me rappelle une habitude du docteur Fithmann, mon psychiatre, qui étudiait le comportement de ses patients lorsqu'ils étaient seuls. Mais je ne lui ai pas parlé de Liadan, alors Keir s'en est chargé à ma place.

Que devons-nous faire ? écris-je à Alar.

Je n'en sais rien. Pour le moment, rester tranquilles. Pas un mot à Liadan. Si elle apprend qu'on la suit, elle va vraiment devenir paranoïaque. Il faut qu'elle arrête de se comporter bizarrement. Dis-lui de ne pas venir demain.

J'acquiesce d'un mouvement de la tête, mais je ne peux pas cacher mon inquiétude.

On en rediscutera. Au revoir, Aith.

Il s'en va, du moins j'en ai l'impression, bien qu'il me soit impossible de déceler sa présence, mais je n'entends plus rien, aucun écho. J'agite mes mains au-dessus du bureau.

– Au revoir.

L'angoisse me noue la gorge. Je n'aime pas l'idée de taire certaines choses à Brian, et désormais à Liadan.

CHAPITRE 29

LIADAN

– Tu ne veux vraiment pas que je vienne demain ? insisté-je auprès d'Alar.

Je n'arrive pas à croire qu'il se soit rangé du côté d'Aith. Elle m'a demandé de rester avec elle pour qu'on passe un samedi entre filles, comme avant, et Alar n'y voit aucun inconvénient. Il pense qu'Aith se sent délaissée. C'est pourtant mon amie et je suis sûre qu'elle comprendrait. Je trouve d'ailleurs son désir étrange, alors qu'hier encore elle m'encourageait à passer le plus clair de mon temps en compagnie d'Alar.

– C'est justement le jour où nous sommes seuls, protesté-je dans le bureau des archives, car, malgré l'heure tardive, il reste encore quelques élèves dans la salle de lecture.

– Je sais, mais c'est préférable, soupire-t-il, une pointe de tristesse dans la voix.

Puisqu'il est si malheureux, pourquoi me pousse-t-il à passer la journée de demain ailleurs ?

– Parfait, soufflé-je d'un ton douloureux. Tu ne veux pas me voir, alors je ne viendrai pas.

Je sors sans lui laisser le loisir de me retenir. Fâchée, j'ai envie de déverser tout mon fiel sur lui. Je le sens derrière moi et n'ai pas l'intention de me calmer. En voyant Evan ranger ses affaires dans son box, je presse le pas.

– Evan ! l'appelé-je sans me soucier de baisser la voix, parce qu'il est le dernier élève à quitter la salle.

– Bonjour, Lia ! s'exclame-t-il en souriant.

Il est surpris : en général, ce n'est jamais moi qui fais le premier pas.

– Tu m'attends ?

– Pas de problème.

J'ignore Alar, qui s'agite en vain autour de moi, et vais chercher mon sac. Il cherche à me convaincre que je l'ai mal compris, qu'il a au contraire très envie de me voir, mais je fais semblant de ne pas l'avoir entendu et me concentre sur la conversation d'Evan. Il me raconte qu'il m'a vue au Red Doors, mais n'a pas osé s'approcher parce que j'étais entourée des membres des Lost Fionns.

– Je suis prête, lui annoncé-je en mettant mon manteau.

Alar me prend le bras, le relâche quand je lui lance un regard furibond. Il sait qu'il n'a pas le droit de me faire une scène.

– Tu n'es pas sérieuse, Liadan, me dit-il alors qu'Evan et moi sommes déjà sur le seuil.

Je lui adresse un sourire ironique. Je sais qu'il m'aime, mais j'ai envie de le punir de m'interdire de venir demain.

*

Samedi, ni Aith ni moi n'avons envie d'étudier. En fin d'après-midi, nous allons à Crichton Castle, notre havre de paix. Le temps est couvert, mais il ne devrait pas neiger. Pour une fois, je trouve le froid supportable. Nous étendons nos imperméables sur l'herbe, en bordure du chemin menant au château, bien emmitouflées dans nos manteaux. Nous adressons des signes de la main aux derniers visiteurs qui quittent les lieux et regagnent leurs véhicules.

– C'est curieux, dis-je à Aith en saluant les guides et les gardiens. Je ne me sens plus une touriste, ici.

– Parce que tu n'en es pas une. Tu pourrais être écossaise, si tu voulais. Je n'ai pas envie que tu partes, Liadan.

Je souris. Mon amie ne rate jamais une occasion d'essayer de me convaincre de rester. Émue par sa sincérité, je lui prends la main : aux côtés d'Aith et d'Alar, mon bonheur est complet. Au fond, je sais qu'elle a raison et que je ferais mieux de l'écouter.

– Moi aussi, j'aimerais m'installer en Écosse, mais ce sera vraiment dur de n'être près d'Alar qu'occasionnellement.

– Qu'est-ce que tu veux dire ? s'écrie-t-elle, inquiète.

Je lui explique ce que j'ai mis si longtemps à comprendre. La voyant horrifiée, je me garde de lui révéler que, pour moi, la seule solution, c'est de mourir et d'espérer que mon esprit continuera de hanter ce monde.

Aith est pâle et a les larmes aux yeux.

– Liadan, je ne veux plus t'entendre parler comme ça, ou alors je serai obligée de demander au psychiatre de t'examiner. Ne va surtout pas te mettre des idées suicidaires dans la tête.

Elle fond en larmes et je la serre dans mes bras. Nous demeurons ainsi pendant quelques minutes, je laisse moi aussi s'échapper deux ou trois larmes. Aith me manquera, surtout si je deviens un fantôme et la vois affligée par ma disparition.

– À l'avenir, je te promets de ne plus aborder ce sujet, lui dis-je sans entrer dans les détails.

Elle acquiesce, puis me regarde d'un air suspicieux.

– Alar n'a tout de même pas l'intention de mettre fin à tes jours, n'est-ce pas ?

– Non, il n'y a aucun risque de ce côté-là, déclaré-je en feignant l'indifférence. Il pense que ce serait jouer avec le feu.

Je lève les yeux vers le château pour éviter qu'Aith ne me communique sa tristesse. Serais-je capable de me suicider ? D'après ce que j'ai lu dans les ouvrages de parapsychologie, une des façons les plus sûres de rester ici-bas consiste à se faire tuer par un mort. Mais ces traités ne sont pas fiables à cent pour cent, même s'ils affirment qu'ainsi, l'esprit a assez d'énergie pour rester connecté, telle une batterie de voiture pouvant être rechargée par une autre. Qui sait...

Plongée dans ces réflexions, je mets quelque temps à me rendre compte qu'il y a quelqu'un dans le château. Je me penche en avant, les mains sur les genoux, et me concentre sur l'une des fenêtres. Je ne me trompe pas : c'est la femme habillée de blanc que j'ai vue la dernière fois.

– Aith, regarde discrètement. Tu vois cette femme, là-bas, derrière la troisième fenêtre en partant de la gauche ?

Mon amie se raidit, mais m'obéit et fixe la construction qui s'obscurcit dans le couchant.

– Non, il n'y a personne, murmure-t-elle. Tu la vois encore, toi ?

Je hoche la tête, les yeux rivés sur cette femme pâle aux longs cheveux noirs revêtue d'une robe blanche. C'est étrange, car il ne me semble pas avoir lu que des fantômes hantaient Crichton Castle. Je me rappelle alors la conversation téléphonique entre Jonathan et Alar, le jour où j'ai pris celui-ci en photo à son insu. Ils se demandaient s'il y avait un esprit au château.

– Partons d'ici, dis-je à Aith.

Je ne veux pas l'alarmer inutilement, mais j'ai senti un souffle d'air froid. Cette femme est effrayante. Elle me regardait et il est possible qu'elle ait senti ma présence.

« Du calme », songé-je, persuadée qu'elle ne me poursuivra pas.

*

Le soir, nous avons rendez-vous avec Keir et des amis au Folk at The Tron, une discothèque aménagée dans l'une des nombreuses grottes souterraines de la ville. J'adore cet endroit qui, malgré sa situation, n'a rien d'angoissant.

Ravie d'être ici, je me laisse entraîner sur la piste de danse et, très vite, la musique me plonge dans une sorte de frénésie qui n'a rien à voir avec l'alcool, puisque je n'en bois pas. Aith est magnifique dans sa longue robe violette qui fait ressortir sa blondeur. Pourtant, aucun des garçons qui nous accompagnent n'oserait flirter avec elle : ils respectent trop Brian. Quant à moi, sous la protection de Keir, je crois que je n'ai rien à craindre non plus.

– Si seulement Alar pouvait être là ! crié-je à Aith.

Elle m'adresse un sourire compréhensif et réconfortant, mais celui que j'esquisse en retour se fige sur mes lèvres. Derrière elle, je viens de voir une apparition : une femme très pâle aux cheveux de jais, deux nébuleuses opaques à la place des yeux, descend l'escalier. Sa robe blanche vaporeuse est agitée par un vent inexistant. Mon Dieu ! C'est la morte de Crichton Castle !

– Lia, qu'est-ce que tu as ?

Aith cesse de danser et me prend le bras. Je dois être blême. Je lui réponds que tout va bien et continue de m'agiter sur la piste pour ne pas l'inquiéter, mais tente de surveiller du coin de l'œil la tache blanche et éthérée qui progresse dans la pénombre. Penser qu'elle m'a suivie depuis Crichton m'atterre.

Il n'y a pourtant aucun doute : elle est ici pour moi. Je m'incline légèrement en la sentant bouger à mes côtés. Elle m'épie. Je continue de danser sans détacher les yeux du sol, épouvantée, désirant plus que tout qu'Alar soit ici. Je suis entourée de gens, mais personne ne peut m'aider. Je me sens seule et sans défense. L'apparition rôde à quelques mètres, je vois sa robe blanche tournoyer dans mon champ de vision, je suis persuadée qu'elle est passée au travers du corps de mes amis, mais je n'ose pas lever la tête.

– Lia ! Lia ! Ça va ? me demande Keir.

Je m'oblige à relever le menton vers son visage en sueur. Il me lance des regards interrogateurs tandis que je me concentre sur lui, mais j'aperçois du coin de l'œil la morte qui s'est immobilisée à ses côtés. Ses yeux sont encore plus noirs que les miens et brillent d'un éclat féroce. Si l'on fait abstraction de ses traits lugubres, de son expression malveillante et avide, on peut penser qu'elle a été jolie. Elle me scrute avec insistance, elle attend que je me tourne vers elle, pour être sûre que je la vois. Je sais que je ne dois pas le faire. Jamais. Ma vie en dépend.

Je cligne les paupières, tâchant de répondre à Keir, qui ne danse plus.

– Ça va, je suis juste un peu étourdie. On suffoque, ici.

Je m'agrippe à son bras et m'évente. J'apprécie de sentir une chaleur humaine, celle d'une personne bien vivante qui se soucie de moi.

– Bon, on y va, déclare-t-il avec autorité.

Nos amis se demandent ce qui m'arrive et estiment qu'un peu d'air me sera bénéfique. Si je n'étais pas à ce point terrifiée, je serais flattée de ces attentions. Les garçons vont chercher mon manteau au vestiaire, s'écartent sur mon passage, m'apportent une bouteille d'eau fraîche. Keir me prend par la taille et Aith me regarde, interloquée. Elle a raison de se faire du souci.

L'apparition nous suit dans la rue. Nous sommes sept, mais j'ai l'impression d'être sans défense. Je dis pourtant à Keir que je peux marcher seule, qu'il n'est pas obligé de me soutenir. J'essaie de me montrer enjouée, comme une fille normale victime d'un petit malaise. Cette fois, j'accepte avec joie que Keir me raccompagne à la maison. Je me demande cependant s'il se figure que je suis schizophrène.

Je m'empresse de saluer Aith, qui est escortée par trois des amis de Keir. La morte nous suit. J'évite de la regarder et me console à la pensée que, lorsque nous traverserons Bruntsfield Park, Jonathan se rendra compte qu'il se passe quelque chose d'anormal. Je prie pour qu'il ait la bonne réaction et prévienne Alar.

Mais je sais qu'il ne pourra pas me protéger.

CHAPITRE 30
JONATHAN

C'est une belle soirée, très belle, même. L'hiver n'est pas aussi divertissant que l'été, lorsque les promeneurs s'attardent dans le parc, mais le froid n'est pas dépourvu de charme. Les vivants qui s'aventurent ici à cette heure marchent vite, bien emmitouflés. Ils me rappellent les soldats qui prenaient la fuite sur le champ de bataille en essayant de passer inaperçus. En cette saison, le seul ennemi des marcheurs est l'air glacé.

Je m'adosse au mur et attends le retour de Lia. Aujourd'hui, elle est sortie avec des amis et je ne serai rassuré que lorsque je la verrai revenir saine et sauve. Je ne fais pas uniquement cela pour rendre service à Alar, mais aussi parce que j'aime bien Liadan. Pour une vivante, elle est bizarre : elle se comporte presque comme nous. Elle est mon seul contact avec Caitlin. Tandis que je patiente, j'envisage d'effaroucher le détective qui la suit. L'idée qu'on la croie folle me déplaît, or, si je donne une bonne leçon à ce type, j'arriverai peut-être à le décourager. Pourtant, je sais que je n'en ai pas le droit. « Observer sans bouger », telle est la devise d'Alar.

Quelques heures s'écoulent avant que j'aperçoive Lia. Pendant qu'elle s'amuse avec ses amis, elle est sous la protection de ce garçon blond qui la raccompagne toujours et prend soin d'elle. Je n'aime pas le savoir si proche de Liadan, qui est la fiancée d'Alar, mais celui-ci m'a dit lui-même que c'était mieux ainsi, alors je ne me mêle pas de leurs histoires. Selon lui, il est préférable qu'elle fasse sa vie avec un vivant. Il est le seul à le penser, même Liadan ne partage pas cet avis. Je sais qu'elle choisirait la mort plutôt que de se séparer d'Alar. Moi non plus, je ne voulais pas laisser ma Jeanine seule, et c'est pourquoi j'erre encore ici-bas. Je comprends donc Liadan.

Ah, les voilà. Avec ses cheveux roux d'Irlandaise, Lia est facilement reconnaissable. Son ami aussi : c'est un gaillard solide comme nous autres les détestons.

Je lève la main pour saluer Liadan, résigné à l'idée qu'elle ne pourra pas bavarder avec moi. Elle ne me répond pas. Je devrais me réjouir de voir que le type qui la suit d'habitude n'aura rien à noter sur son fichu carnet, mais son air alarmé m'indique qu'il y a autre chose. Je m'approche d'eux.

– Tu ne sens pas une drôle d'odeur de sang ? demande le grand blond à Lia.

Elle esquisse un geste de la main, comme pour désigner la rue qui s'étend derrière elle. Je me tourne et reste pétrifié. Le garçon pose un bras sur les épaules de Liadan et je remarque que les passants sont transis. Et pour cause : une femme suit Liadan, je n'ai aucun doute là-dessus. C'est un être dangereux, une *mara,* comme nous les appelons, un esprit condamné, une âme en peine, une psychopathe.

Elle s'écarte un instant et attend que je ne puisse plus avancer pour repartir aux trousses de Liadan. Son sourire effrayant me glace. Si elle le voulait, elle pourrait m'attaquer.

– Aujourd'hui, je suis allée à Crichton Castle, déclare Liadan.

– Je sais, Aith et toi, vous me l'avez dit tout à l'heure, lui répond le garçon blond, qui feint d'être calme bien qu'il fronce les sourcils.

– Elle était là-bas ? Tu l'as regardée ? demandé-je en tâchant de ne pas me faire voir de la *mara.*

Liadan hoche légèrement la tête. Je ne la sermonne pas, me contente de tirer mon téléphone de ma poche pour avertir Alar. Mais il n'y a pas de réseau, cette femme doit brouiller les ondes.

– Va le voir demain, ordonné-je à Liadan. Et dis-lui qu'une *mara* te suit.

Au diable le détective. Au moins, lui n'a pas essayé de la tuer.

CHAPITRE 31
ALASTAIR

Aujourd'hui dimanche, je me sens plus libre que je ne l'ai été ces derniers temps. Liadan me manque, mais pas ses camarades de lycée qui infestent le château du matin au soir en cette période de révisions. Être discret me fatigue et je dois me faire violence pour ne pas leur barrer la route et les frigorifier. Être interdit de bibliothèque le matin me dérange.

Mais le dimanche m'est réservé. Personne n'étant là, je me rends tranquillement dans la grande salle, j'allume toutes les lumières et l'ordinateur du bibliothécaire. J'ai hâte d'expliquer à Liadan que j'ai trouvé la solution pour dissuader le psychiatre de lui faire suivre un traitement. C'est si élémentaire que Caitlin a éclaté de rire quand je lui en ai parlé, hier soir.

À présent, je planche sur le devoir d'histoire d'Aith et Liadan. Au bout de quelques heures, j'entends un bruit de pas dans le couloir. Qui cela peut-il être ? Sûrement pas les gardiens, qui ne font plus de rondes depuis des années. Je me dépêche d'éteindre l'ordinateur et les lumières, sans bouger de ma chaise pour voir la tête de l'importun.

Il s'arrête devant la porte, puis j'entends la clé tourner dans la serrure. Liadan pousse le battant et regarde avec nervosité de tous côtés.

– Liadan ! Tu ne devrais pas être ici ! On aurait pu te suivre !

– Pas avant la nuit tombée, lâche-t-elle d'une voix hachée.

Elle fond en larmes, court jusqu'à moi pour se blottir dans mes bras. Elle tremble de manière incontrôlable et pleure en tenant des propos décousus. Je comprends les mots « apparition », « Jonathan » et « Crichton Castle ». J'ai une funeste prémonition. Je repousse Liadan pour observer son visage. Elle est terrifiée, mais compte sur mon aide. Elle pose sur moi des yeux remplis d'espoir.

– Dis-moi ce qui est arrivé, murmuré-je.

Je garde mon calme et l'entraîne vers la table pour qu'elle s'assoie.

– Non, ne retire pas ton manteau, il fait froid ici.

Je lui adresse un sourire rassurant, mais elle semble toujours aussi paniquée. Je serre ses mains glacées dans les miennes et essaie de les réchauffer.

– Que s'est-il passé ? insisté-je.

Ce qu'elle me raconte m'atterre et n'a rien à voir avec le psychiatre que je soupçonne d'être constamment sur ses talons. C'est la pire chose qui pouvait survenir. J'avais raison d'avoir peur.

– C'est une *mara*, m'a dit Jonathan, une créature de la mythologie scandinave qui se pose sur le torse des hommes endormis et leur fait faire des cauchemars.

– Celle qui te poursuit n'est pas une vraie *mara*, mais nous donnons ce nom aux esprits furieux. Cette femme a dû connaître une mort violente quand elle était encore jeune. Elle a probablement juré de se venger de son bourreau, qui est sans doute mort avant qu'elle l'ait localisé. Maintenant, elle s'amuse à torturer n'importe quel vivant. Je t'avais dit de ne regarder personne dans les yeux, mais tu ne m'as pas écouté.

Je soupire en songeant que nul n'est plus facile à aborder que Liadan.

– Je ne savais pas... J'ignorais que cette femme était morte avant de l'observer avec attention... J'ignorais qu'il y avait un fantôme à Crichton Castle. Mais dis-moi : comment a-t-elle pu sortir du château ?

– Elle n'est rattachée à aucun endroit. Seule la fureur l'habite. Elle était là, ce matin ?

Liadan secoue la tête en signe de dénégation. Je reprends :

– Elle ne se matérialise que dans le noir parce qu'elle a dû mourir de nuit. Ne t'inquiète pas. Si tu ne lui montres pas que tu es consciente de sa présence, elle ne t'agressera pas et se lassera de te tourmenter.

Je prends son visage dans mes mains. Elle acquiesce, sèche ses larmes, si habituée à être forte qu'elle s'arme de courage. Pourtant, je vois qu'elle a peur. Moi aussi, je suis effrayé. Je l'embrasse et esquisse un sourire rassurant alors que je suis paniqué.

– Ne t'inquiète pas, tout va bien se passer. Tu m'entends ?

– Je veux rester avec toi, murmure-t-elle.

– Jusqu'à ce que la nuit tombe. Après, il faudra rentrer.

Je l'enlace avec force et sens la fraîcheur de son corps que je ne veux pas perdre.

*

– Mon Dieu ! m'exclamé-je à la manière de Liadan.

L'ampoule du hall, où je viens de lui dire au revoir, explose alors qu'elle n'était même pas allumée. Les minuscules éclats de verre me traversent et tombent sur les dalles de pierre avec un bruit à peine perceptible. Je sens la colère monter en moi, je vais devenir fou. Je tourne en rond dans le château comme un lion dans sa cage. J'aimerais sortir d'ici, mais ce n'est pas possible. Je gagne les jardins et observe les grilles, ces ennemies qui refusent d'accepter mon existence. Je ne peux pas me permettre d'avancer, de me perdre dans le monde en abandonnant Liadan à son sort. Je hurle, car cela m'est insupportable. Maintenant, je suis lugubre comme les spectres.

Je regarde les gardiens d'un air rageur. Alarmés, ils sortent de leur guérite, inspectent les lieux sans rien voir, se demandant s'il s'agissait d'un courant d'air. Dans un accès d'agressivité, j'ai envie de me ruer sur eux, au lieu de quoi je prends une grande inspiration. Pourquoi les attaquer ? Ils ne m'ont rien fait.

– Reste tranquille, Alar, songé-je tandis que les hommes en uniforme regagnent leur petit bureau. Ils ne t'ont jamais causé de problèmes.

*

Lundi matin, sans attendre l'arrivée de Liadan, je me glisse dans sa salle de cours et m'installe près de sa chaise. Les élèves entrent par petits groupes pendant que je patiente, les yeux rivés sur la porte. Entièrement vêtue de noir, épuisée, Liadan franchit le seuil avec Aith. Des cernes marquent sa peau pâle, rendant ses yeux sombres plus grands que jamais.

Alors qu'elle gagne sa place, elle lève la tête et me sourit. Je dois faire un effort pour ne pas l'embrasser ici même. Je me sens inutile, désarmé, incapable de lui venir en aide.

– Calme-toi, murmure-t-elle en passant à côté de moi.

Elle serre son manteau contre elle pour me faire comprendre qu'un froid subit s'est installé.

Ses camarades commencent à penser qu'il se passe au château des choses effrayantes, mais je m'en fiche, et puis cela nous arrange.

– Tu m'as parlé ? lui demande Aith en s'asseyant.

– Non, souffle Liadan.

Elle regarde son amie tandis que je l'entoure de mes bras.

– Ah...

Aith me cherche, mais elle ne risque pas de me voir.

– Tu as une mine épouvantable, lui dit-elle. Tu ne t'es pas disputée avec Alar, au moins ?

– Non.

Aith hésite. À l'évidence, Liadan ne lui a rien dit au sujet de la *mara*, pourtant elle sait qu'elle ne va pas bien. J'espère qu'Aith n'a pas l'intention de lui révéler qu'un détective la suit.

Savoir une seule personne à ses trousses lui est déjà assez pénible. La perspective de la perdre m'effraie tellement que j'ai l'impression de faire à nouveau chuter la température de manière alarmante.

CHAPITRE 32
LIADAN

Je vais de plus en plus mal. Cette femme me suit depuis une semaine, dès le crépuscule jusqu'au petit matin. Je n'arrive pas à dormir, je mange à peine et suis devenue paranoïaque au point d'avoir l'impression d'être observée en permanence, même dans la journée, lorsque je suis entourée de vivants. Jour et nuit, je suis sur le qui-vive. Je crains de ne pas pouvoir tenir.

Impossible d'étudier. Les cours sont terminés et nous employons notre temps libre à réviser et préparer nos devoirs de fin d'année. Mais je n'ai pas les idées claires et n'ai pas été capable de faire notre travail d'histoire. Aith et Alar s'en chargent à ma place et je ne me pose pas la question de savoir comment ils s'en sortent. En allant au lycée, je m'efforce de ne rien laisser paraître. Comme d'habitude, Alar m'attend devant la porte et m'observe avec une telle inquiétude que je suis persuadée d'être malade. J'ignore comment lui dire que ce n'est pas sa faute, qu'il ne doit pas culpabiliser à cause de moi. Il n'est pas en mesure de m'aider, pourtant j'adorerais sortir du château en sa compagnie.

Nous montons à la bibliothèque sans nous presser. Il est très tôt. Je me cache dans un coin pour embrasser Alar furtivement avant d'aller faire semblant de travailler. J'ai demandé à Aith qu'elle me prête ses notes prises en cours de grammaire afin de voir si elles me captivent davantage que les miennes, mais c'est peine perdue. Comment me concentrer alors que ma vie et ma raison sont suspendues à un fil ?

Je reste jusqu'à la fermeture des lieux pour profiter un peu d'Alar aux archives, prends des airs enjoués tout en sachant qu'il n'est pas dupe. Mon corps amaigri ne fait guère illusion. D'après la rumeur, le fantôme de la bibliothèque m'aurait rendue folle. Mon Dieu ! Qui a donc répandu ce bruit ? Pour parfaire le tableau, il ne manquerait plus qu'un cinglé essaie d'exorciser Alar ou Caitlin...

Lorsque le bibliothécaire, de moins en moins aimable, me demande pour la énième fois de rassembler mes affaires et de partir, je me prépare psychologiquement à l'épreuve qui m'attend, celle d'affronter la rue à la tombée de la nuit. Dès que j'ai franchi les portes du lycée, la femme démoniaque m'emboîte le pas en me scrutant de ses yeux furieux. Elle n'entre jamais au château ; sans doute perçoit-elle la présence d'Alar et de Caitlin, auxquels elle n'ose pas se mesurer. Mais, passé les grilles, je suis sa proie. Je fais comme si elle n'existait pas, mais je la sens jubiler. Même si elle n'est pas certaine que je la voie, elle doit penser que je suis prête à défaillir, à m'avouer vaincue. Elle n'a pas tort: je ne vais pas supporter cette situation très longtemps.

Elle me tourne autour, mais je m'efforce d'aller de l'avant, sans la regarder ni m'écarter de mon chemin lorsqu'elle me précède. Son visage blafard, ses yeux pervers semblables à du charbon et la fine ligne rouge de sa bouche tordue en un sourire sinistre sont difficiles à ignorer. Près de Bruntsfied Park, j'entends des aboiements familiers. Depuis quelques jours, Bobby vient rôder dans le coin et m'accompagne jusque chez moi, puis retourne auprès d'Annie.

Il se place devant moi et grogne de façon menaçante quand il voit la *mara*. Le premier jour où il s'est comporté ainsi, il m'a causé une immense frayeur et j'ai eu du mal à rester de glace. Bobby est une bête adorable, j'ai tendance à oublier qu'il est mort, mais, quand il se fâche, ses yeux ressemblent à deux puits sans fond et son pelage paraît hérissé de clous. Ses crocs grandissent et sa bave est monstrueuse. Cela suffit à éloigner ma poursuivante, qui se tient à distance, mais Bobby cherche à tout prix à attirer mon attention. J'aperçois Jonathan et remarque à quel point il est tendu. Je ne le salue pas. Cette situation est atroce.

Malcolm et Agnès ont conscience que je vais mal. Je crois qu'ils partagent l'avis de Keir et pensent que je suis folle. À la fin de la semaine, j'ai trouvé ma chambre bien mieux rangée que d'habitude, à croire que l'employée de maison avait tout passé au peigne fin. Mais je chasse de ma tête ces idées qui ne riment à rien en me disant qu'elles sont liées à la fatigue.

Je ne ferme pas l'œil avant des heures. Malgré les deux comprimés de valériane que j'ai avalés, je me réveille à l'aube. J'entends des bruits étranges, une sorte de martèlement, et tourne la tête dans tous les sens pour voir d'où ça vient. Après avoir inspecté la chambre, j'observe la fenêtre : la femme est là, elle tambourine contre la vitre de ses longs ongles et me regarde fixement. Elle plaque son visage contre le verre, m'offrant l'horrible vision de son corps cadavérique vêtu de blanc, sa peau pâle et ses grands yeux terrifiants où brille une lueur démente. Mon Dieu, je n'en peux plus ! Il va falloir mettre fin à ce cauchemar, c'est une véritable torture. Je suis tentée un instant de scruter la *mara* afin qu'on en finisse une bonne fois pour toutes. Je m'interdis d'avoir de telles pensées, mais elles sont de plus en plus fréquentes et redoublent d'intensité. Je commence à avoir peur de mes propres réactions.

Je me lève et observe la pleine lune qui baigne ma chambre de sa lumière, comme si j'étais dérangée par son éclat. Sans me départir de mon sang-froid, bien que mon cœur batte la chamade, je m'approche de la fenêtre pour tirer les rideaux d'un geste brusque. Je me remets au lit en sentant les larmes couler le long de mes joues. Il est quatre heures du matin et je sais que je ne me rendormirai pas. Je ne peux plus continuer ainsi.

*

Découragée, épuisée, je n'arrive pas à sortir du lit. Ma vie est devenue un enfer. Ma seule raison de me lever, c'est de voir Alar. Je descends prendre mon petit déjeuner et feins de me concentrer sur les notes d'Aith pour éviter les questions d'Ann. Mais je suis incapable de lire, tourne une page de temps à autre en me forçant à avaler mon chocolat chaud. Un instant plus tard, je me pétrifie, la tasse dans la main, le cahier d'Aith dans l'autre, car je viens de découvrir sur un papier une conversation écrite qui n'a rien à voir avec de la grammaire. J'en reconnais les interlocuteurs : Aith et Alar.

Je suis tout d'abord fière qu'Aith ait surmonté sa peur de voir un stylo s'agiter seul, puis, à mesure que j'avance dans ma lecture, mon sang se glace dans mes veines.

Liadan sait-elle qu'un détective la suit ? Elle ne va pas bien.

Non, elle n'est au courant de rien, elle est inquiète parce que nous allons bientôt devoir nous séparer.

Le détective a été envoyé par mon psychiatre, j'en suis sûre. Apparemment, Keir a parlé du comportement de Liadan à Malcolm. J'ai fait ce que j'ai pu pour les rassurer, je leur ai dit que c'était à cause des examens, mais ils ne m'ont pas crue et si elle continue à ne pas manger ni dormir, ils l'enverront à l'hôpital.

Attends que j'aie fini votre travail d'histoire et je vais m'occuper du problème.

Étourdie, je me rends néanmoins compte qu'Alar n'a pas touché un mot de la *mara* à Aith. Je ne veux pas qu'elle s'inquiète davantage. D'un côté, je suis ravie d'apprendre que je ne suis pas folle : je me sens observée parce que je le suis. Tout le monde me surveille. La cruelle réalité se fait jour dans mon esprit. Je risque d'être internée, ce qui me laisserait à la merci de cette femme démoniaque, sans compter que je ne verrais plus Alar.

Je froisse le papier et file au lycée. Peu m'importe que ce « détective » me voie partir de manière précipitée, j'ai besoin de discuter avec Alar et je me fiche du reste.

CHAPITRE 33

ALASTAIR

Je viens d'envoyer par e-mail le devoir d'histoire à Aith quand j'aperçois Liadan se hâter vers le château, qui n'est pas encore ouvert. Elle crie aux gardiens qu'elle a besoin d'entrer. N'osant pas refuser, ils s'exécutent. Je m'empresse de la rejoindre. Quelque chose de grave a dû survenir, je sens l'angoisse monter en moi.

Je l'arrête sur le palier du premier étage et constate qu'elle respire avec difficulté. Elle a sûrement couru tout le long du chemin. Je l'enlace, puis m'écarte, impatient de savoir ce qui l'amène ici aussi tôt. Je plonge mes yeux dans les siens, désespérés.

– Je n'en peux plus, halète-t-elle. Je ne supporte pas cette situation, c'est intenable.

– Chut, soufflé-je, craignant que le concierge ne nous entende.

– Peu importe qu'on me trouve bizarre, je sais que je vais bientôt mourir.

– Qu'est-ce que tu dis ? Viens.

Un bras passé autour de ses épaules, je l'entraîne vers la bibliothèque. Des pas feutrés à l'étage du dessus m'ont mis sur mes gardes. Quelqu'un écoute notre conversation. Liadan s'en moque, mais pas moi. Je ne perds pas espoir. Elle continue de parler pendant que nous pénétrons dans la bibliothèque encore déserte et m'explique qu'elle a découvert l'échange écrit que j'ai eu avec Aith. Elle est exténuée, sur le point de s'effondrer. J'ai déjà surpris cette expression dans le regard de mes soldats, le jour de la fameuse bataille où je suis passé de vie à trépas. Nous avions tous conscience que nous allions mourir, une certitude qui change le visage d'un homme.

Je la fais asseoir sur la table du bureau des archives.

– Non, mon amour, il ne va rien t'arriver de mal, lui dis-je en lui passant une main dans les cheveux. Aith et moi allons nous occuper de ce psychiatre.

– Tu crois qu'un simple devoir d'histoire va tout régler ? Alar, je vais craquer.

Son visage est inondé de larmes. Bien que je cache mon jeu, je suis aussi paniqué qu'elle. Enfermé dans l'enceinte de ce château, je me sens impuissant alors qu'au-delà des grilles, elle est au supplice. L'important, c'est qu'elle ne perde pas le goût de vivre, qui est précieux.

– Liadan, ta mort ne résoudra rien, tu ne peux pas...

– Non ! Cette femme ne me laissera pas tranquille tant qu'elle ne sera pas parvenue à ses fins, et le psychiatre non plus. Dis-moi, Alar, comment est morte la fille qui a écrit le journal ?

Pris de court, je me plonge dans mes pensées. Je croyais qu'elle avait oublié cette histoire. Elle m'observe et, devant mon silence, tire d'elle-même les conclusions qui s'imposent.

– Comment est-elle morte ? insiste-t-elle.

– C'était il y a plusieurs dizaines d'années. Contrairement à toi, elle ne nous voyait pas, mais était sensible à notre présence. Elle avait l'impression de percevoir des choses que ses camarades étaient incapables de capter. Elle me sentait approcher alors que j'étais dans une autre pièce. Je ne m'en suis rendu compte qu'après sa mort, en découvrant son journal. Elle est devenue folle, elle ne faisait plus la différence entre le monde réel et ce qu'elle croyait être ses propres délires.

– Tu as donc volé le journal et tu l'as caché pour éviter d'attirer l'attention. Il est devenu invisible, sauf pour moi. Mais, comme tu n'aimes pas jeter les écrits, tu l'as glissé dans les rayonnages de la bibliothèque, où je l'ai trouvé. Tu l'as rangé dans la section réservée aux biographies.

Je hausse les épaules.

– Et comment est-elle morte ? reprend Liadan.

– Son corps gisait en bas de l'escalier en colimaçon de la tour nord. J'ai fait mon possible pour attirer l'attention du vieux concierge, mais il était trop tard. Elle s'était brisé les cervicales.

– Alors, James dit la vérité ! Cette fille est tombée dans les escaliers et elle s'est tuée !

– Elle s'est peut-être suicidée.

– Je vois..., murmure Liadan.

Je n'aime pas son expression.

– C'est justement ça, le problème, Liadan ! m'écrié-je. Cette fille est morte, mais elle ne hante pas l'escalier.

– J'ai pourtant lu que si tu me tuais...

– Je ne le ferai pas, je pourrais te perdre à jamais.

– Non, il vaut mieux qu'on m'enferme dans un hôpital psychiatrique ou que je regarde droit dans les yeux cette morte psychopathe. Je préfère mourir plutôt que de continuer à vivre comme ça, Alar. Mais ne t'inquiète pas, je ne le ferai pas devant toi.

Elle se lève pour partir, mais je l'arrête.

– Lâche-moi, murmure-t-elle, ou je crie !

Elle se moque peut-être de ce que les autres pensent, ce qui n'est pas mon cas. J'ai envie de pleurer, mais desserre mon étreinte de peur que James n'accoure. Il la croirait folle.

Liadan s'éloigne vers une table où travaillent plusieurs élèves qui l'observent avec curiosité. Tout le monde sait que, ces derniers temps, elle se comporte bizarrement.

Je ne sais pas quoi faire. D'un côté, j'aimerais rester à ses côtés, exaucer son souhait dans la mesure où cela nous rendrait heureux. Mais je ne supporte pas l'idée qu'elle puisse mourir pour de bon et ne plus réapparaître. Elle doit vivre, connaître l'amour, finir ses études, trouver du travail, se marier, avoir des enfants, vieillir, mener son existence jusqu'au bout. S'il en est ainsi, j'espère qu'elle viendra me voir de temps à autre.

Je regarde par la fenêtre des archives et contemple la forêt, mon foyer de mort vivant. Une tache sombre attire mon attention près du lac. C'est Liadan. Je frémis, redoutant qu'elle se jette dans l'eau glacée, mais elle s'assoit au bord, le regard perdu. Je ne vais pas la rejoindre, elle a sans doute besoin de calme, d'un peu de tranquillité pour réfléchir.

*

Je vais à la bibliothèque pour demander à Aith si elle a reçu le devoir d'histoire, mais elle n'est pas là. Je me dirige ensuite vers les salles de classe, sans plus de succès. J'inspecte tout le château, étonné qu'elle ne soit pas encore arrivée, puis, dans le hall, j'entends James parler au téléphone.

– Oui, monsieur, déclare-t-il, c'est exactement ça. Mlle McWyatt pourra dire ce qu'elle voudra, c'est ce que j'ai vu. Allô ? Professeur McEnzie ?

Malgré son insistance, la communication est coupée. L'avantage des portables, c'est que nous pouvons brouiller les ondes autant que nous voulons, comme avec la radio. Je vais couper le câble du poste fixe. J'ignore ce qui se passe, mais je suis sûr que c'est lié à Liadan. Je me dirige vers le lac.

Je n'ai pas l'intention de les laisser m'enlever Liadan. Avant cela, je veux lui déclarer ma flamme, lui avouer que, si elle part, je mourrai une seconde fois. Je souhaite qu'elle vive sa vie. Nous attirerons la *mara* ici et je la tuerai. Je lui dirai aussi...

J'interromps le cours de mes pensées en voyant le téléphone de Liadan par terre, piétiné. Elle n'est plus au bord du lac.

– Liadan ! hurlé-je de toutes mes forces.

Mais elle ne répond pas. Je plonge dans les profondeurs pour la chercher en espérant de tout mon cœur ne pas la trouver.

CHAPITRE 34

JONATHAN

C'est le milieu de l'après-midi et déjà le ciel s'assombrit, comme souvent en hiver. Je suis très inquiet. Je surveille l'autre côté du parc et fume ma énième cigarette, sachant qu'il va se passer quelque chose, comme lorsque je pressentais l'imminence du combat en pataugeant dans l'eau croupie et la boue des tranchées.

Quelques instants plus tard, je vois apparaître au loin les amis de Liadan, la fille et le garçon blonds qui sont souvent avec elle. C'est étrange, parce qu'à cette heure ils devraient plutôt se diriger vers le lycée. Tendus, ils marchent d'un pas vif, et je décide de m'approcher d'eux pour écouter leur conversation.

– Si ces infirmiers mettent la main sur Liadan, ils l'emmèneront à l'hôpital sans lui donner l'occasion de s'expliquer, dit la fille.

– Tu ne sens pas une drôle d'odeur de sang ? lui demande le garçon, répétant la question qu'il a déjà posée le jour où il est passé par ici avec Liadan.

Elle ne lui répond pas, regarde par terre, puis tourne la tête dans ma direction.

– Elle s'appelait Caitlin, déclare-t-elle brusquement en foulant l'herbe couverte de givre.

– Quoi ?

Je suis pétrifié.

– La fille qui t'a attrapé par le mollet dans le lac pour essayer de te noyer, poursuit-elle, répétant sans doute ce que lui a raconté Liadan. Elle s'appelait Caitlin et elle est morte en 1785. Je suis sûre que tu n'aurais jamais imaginé ça, Keir.

Il continue de marcher lentement, puis s'immobilise et fixe la fille sans comprendre.

– Aith, pour l'amour de Dieu... De quoi parles-tu ?

– Je veux simplement te dire que tu n'es pas fou et que moi non plus, je n'ai pas perdu la raison. Alar est le fantôme de la bibliothèque et Liadan peut les voir, lui et Caitlin...

– Aith, je t'en prie.

– Elle voit aussi le soldat de Bruntsfield Park, enchaîne-t-elle sans ciller, pour mon plus grand bonheur, car j'ai envie de connaître la suite. Ni toi ni moi ne sommes capables de les distinguer, contrairement à Liadan, mais laisse-moi te prouver qu'ils existent.

– Aith, s'il te plaît..., murmure-t-il, interdit. Ne me dis pas que tu es de son côté. Si tu essaies de me raconter des sornettes, comme vous le faites avec ce devoir d'histoire idiot...

– Laisse-moi te prouver qu'ils existent ! s'obstine-t-elle. Si tu n'es pas convaincu en ressortant du château, tu pourras faire ce que tu voudras.

– D'accord, accepte-t-il, sceptique.

Je suis interloqué. Combien d'autres personnes vont connaître notre secret ? Liadan est devenue folle ou croit-elle qu'on puisse faire confiance à ses deux amis ?

– Mais, quoi que tu voies, tu dois me jurer de ne pas en parler, lui dit-elle en le regardant fixement.

Le garçon inspecte les alentours.

– Je le jure. Je sens vraiment une odeur de sang, insiste-t-il.

« Bien sûr, mon vieux. Et tu risques de la sentir encore plus si tu ne tiens pas ta langue », pensé-je.

– Bonne chance, murmuré-je avant qu'ils partent.

Un instant, j'ai eu l'impression que la fille m'avait entendu.

Halloween n'aura pas lieu avant un an, il m'est donc impossible de m'approcher du château. Résigné à attendre dans le parc, je prends mon téléphone pour prévenir Alar. S'il ne parvient pas à démontrer son existence à ce jeune homme, je ne sais pas ce qu'il adviendra de Liadan. Je plaque l'appareil contre mon oreille, mais n'entends qu'un grésillement désagréable, comme si un vent tourbillonnant soufflait dans l'appareil. Je me tourne, conscient de ce que je vais découvrir. La *mara* marche vers moi en affichant un sourire sinistre.

Elle est en chasse et, à son expression, je sais qu'elle pense que sa proie ne va pas tarder à capituler.

CHAPITRE 35

CAITLIN

Ce soir, quand je sors du lac, Alastair est accroupi devant moi et me scrute de ses yeux verts et désespérés.

– Tu n'aurais pas senti la présence de Liadan dans le lac ? me demande-t-il à brûle-pourpoint, dissimulant mal sa tension.

– Liadan ? m'écrié-je, horrifiée. Non, elle n'est pas là. Ni elle ni son corps, murmuré-je après un instant de réflexion.

Le lac et moi ne faisant qu'un, je suis sûre de ce que j'affirme.

– J'ai déjà plongé et je n'ai rien vu, mais je voulais en avoir la confirmation.

– Qu'est-ce qui se passe, Alar ?

Il baisse la tête, puis se tourne à nouveau vers moi.

– Nous avons des soucis, Caitlin. Jonathan vient de m'appeler pour m'avertir que la *mara* arrivait. Malheureusement, elle n'est pas seule.

Des cris en provenance du château l'obligent à s'interrompre. Quelqu'un hurle son nom, mais ce n'est pas la voix de Liadan. Je le regarde, paniquée, sans rien comprendre à cette histoire. Il est debout.

– C'est Aith qui m'appelle, m'explique Alar, et il part en courant. Si tu vois Liadan, ne fais rien de ce qu'elle te demandera et empêche-la de commettre une folie.

– D'accord, murmuré-je, les larmes aux yeux, car je m'en sens incapable.

Nerveuse, je me promène au bord du lac sans savoir quoi faire. À cette heure, les élèves quittent le château pour rentrer chez eux et les lumières s'éteignent peu à peu. Alar tarde à revenir me dire ce qui est arrivé. J'ai peur qu'il ne soit lui aussi en danger. J'entends crier son nom. Qui est-ce, cette fois ?

Une branche craque derrière moi, je me retourne.

– Liadan ! m'exclamé-je, étonnée.

C'est elle, sans aucun doute, mais elle a beaucoup maigri. Je me risquerais même à déclarer qu'elle a une mine encore plus épouvantable que moi.

– Bonjour, Caitlin !

Elle s'approche, un vague sourire aux lèvres, le regard absent.

– Où étais-tu ? Tout le monde te cherche.

– Sur la tombe d'Alar. Je ne voulais pas partir à l'hôpital sans lui avoir dit adieu. J'ai un message pour Jonathan : je regrette de ne pas avoir trouvé Jeanine. Elle est encore vivante, mais ne vit pas ici. Il n'a donc pas d'inquiétude à avoir.

Atterrée, je suis incapable d'articuler un mot. Elle se tourne vers moi et j'ai l'impression que son sourire s'élargit, moins mélancolique qu'il y a quelques instants.

– Je suis heureuse de t'avoir rencontrée, tu es mon amie. Si jamais on ne se revoit pas...

Elle m'étreint en posant délicatement ses mains sur mon corps éthéré.

– Qu'est-ce que tu comptes faire ? lui demandé-je alors qu'elle s'éloigne déjà. Alar ! Alar !

Je m'époumone en vain. Liadan est partie, me laissant seule et impuissante.

CHAPITRE 36
AITH

– Vous comprenez ? demandé-je au professeur McEnzie en lui montrant notre devoir d'histoire.

Il s'intitule « Les mythes en tant qu'origine de l'histoire : une étude expérimentale ». Liadan et moi y démontrons qu'il est facile de rendre un fait fictif crédible. Dans notre cas, nous avons utilisé la légende du fantôme de la bibliothèque pour faire croire aux gens qu'il existe réellement.

Alar a fait un travail impeccable et la supercherie s'est révélée plus efficace que nous ne le pensions. Mes camarades sont tombés dans le piège et n'arrêtent pas de parler du spectre. Ces derniers temps, Alar s'est très souvent manifesté, mais M. McEnzie ne le saura jamais. Il n'était pas là lorsque la température chutait brusquement, que les lumières clignotaient sans raison ou que des élèves sentaient un souffle dans leur dos. Pour lui, tout cela est le produit d'imaginations trop fertiles.

– C'est un travail qui sort de l'ordinaire, déclare-t-il. Vous avez joué avec les nerfs des élèves.

– Pas plus que ceux qui inventent des légendes urbaines, rétorqué-je, reprenant à mon compte une suggestion de Keir, qui se tient en silence derrière moi, plus pâle que d'habitude.

À ma grande surprise, James n'ouvre pas la bouche non plus, bien qu'il m'ait entendue appeler Alar un moment plus tôt.

– Cette idée nous est venue un jour où un courant d'air nous a fait trembler dans un couloir du premier étage, expliqué-je. Nos camarades ont plaisanté à propos d'un fantôme, alors nous en avons tiré parti. Liadan a fait semblant d'être affectée par la présence d'un spectre. Je suis sûre que, quand nous révélerons la vérité, tout le monde trouvera ça drôle.

Malcolm jette un coup d'œil sur la couverture du dossier et fronce les sourcils. Il pense sans doute que Liadan joue si bien la comédie qu'elle mérite un prix d'art dramatique.

– C'est à cause de vous qu'elle a perdu du poids et eu des crises d'angoisse, insisté-je en suivant les conseils de Keir.

J'ai du mal à être persuasive, mais redouble d'efforts en songeant que c'est pour le bien de Liadan et d'Alar.

– Elle a raison, intervient Keir. J'avais peur qu'elle n'ait des troubles mentaux, comme ma cousine. Par la suite, quand elles m'ont révélé la supercherie, ça m'a paru amusant. J'ai d'ailleurs l'intention de montrer ce travail à l'université.

– C'est bien, mais maintenant il faut mettre un terme à tout cela, tranche le directeur. Où est Liadan ?

– Elle a décidé de se cacher jusqu'à ce que vous soyez au courant, réponds-je.

Je suis sincère, j'ignore où elle se trouve.

– Avouez que vous n'auriez pas hésité à la faire interner, ajouté-je.

Malcolm est un peu honteux, il sait que je dis vrai : il a failli mettre Liadan entre les mains des psychiatres alors qu'elle est saine d'esprit. Je suis désolée de le tourmenter ainsi, mais c'est nécessaire. Je n'oublie pas que j'ai moi aussi passé des mois en compagnie d'hommes en blanc. Pendant longtemps, j'ai cru que j'avais des hallucinations...

– Excusez-moi, monsieur, me coupe James, mais Mlle Liadan est ici, je l'ai vue se promener dans le bois.

Nous avançons de quelques pas et voyons les infirmiers au service du docteur Fithmann courir derrière mon amie. Je soupire, sachant que tout va bientôt s'arranger. J'espère juste qu'Alar ne nous devancera pas. Je lève la tête et constate que le ciel est menaçant. Puisse-t-il être le seul à verser des larmes.

Liadan se tourne vers nous avec une expression qui me déplaît. On dirait qu'elle nous dit adieu. Elle semble fixer un point au-delà des grilles, mais je ne vois rien. J'entends en revanche Alar pousser un cri désespéré.

Je serre la main de Keir, qui est à mes côtés.

CHAPITRE 37
ALASTAIR

Liadan sait que le directeur, ses amis, les infirmiers et moi l'avons vue. La *mara,* esprit diabolique vêtu de blanc – l'ancienne couleur du deuil –, s'arrête devant la grille du jardin et me toise d'un air mauvais, comme pour me lancer un défi. Je ne peux pas bouger d'un pouce. Si j'adresse la parole à Liadan, elle l'attaquera.

À l'autre bout du parc, les infirmiers en uniforme immaculé s'approchent de Liadan en feignant le plus grand calme, à croire qu'ils tentent de rassurer un fauve. Je procède à une rapide évaluation de la situation : McEnzie descend lentement les marches sans se rendre compte qu'il risque de perdre sa petite protégée. Moi qui sais qu'elle court un grand danger, je suis pris d'angoisse.

Je ne détache pas les yeux de Liadan. À mi-chemin entre les uns et les autres, pétrifiée telle une statue, elle semble assister à la scène en spectatrice étrangère ou se résigner à ce qui va suivre. Le vent redouble de violence, charriant avec lui la voix de Caitlin, qui veut que j'arrête Liadan. Mon Dieu, faites que tout cela cesse !

J'avance d'un pas, conscient que la *mara*, toujours de l'autre côté de la grille, me scrute. Elle attend que je commette une erreur. Liadan a visiblement été tirée de sa stupeur par la voix de Caitlin. Elle tourne la tête vers les infirmiers qui discutent à voix basse, de manière insistante, avec le directeur. À l'évidence, ils ne l'écoutent pas, car ils s'éloignent de lui pour se rapprocher de Liadan. D'un air songeur, celle-ci pivote vers Aith et Keir, paralysés en haut de l'escalier. C'est fréquent chez les vivants : saisis d'effroi, ils sont incapables du moindre geste. Nombreux sont ceux que les miens ont réussi à tuer en profitant de leur immobilité. Ensuite, Liadan se concentre sur moi.

Selon toute vraisemblance, elle me dit adieu. Je glisse un œil sur le côté et vois la *mara* froncer les sourcils avant de se décider à partir à l'assaut.

– Non ! hurlé-je malgré moi.

La *mara* sourit, Liadan plonge ses yeux dans les siens tandis qu'Aith, agrippée à Keir, regarde son amie d'un air effaré. Liadan est au contraire très calme et se tient bien droite. Elle a fermé les paupières, renonçant à se défendre. Les vivants ne se rendent toujours pas compte de ce qui se passe. Ils ont juste senti le vent forcir, ignorent que Liadan va mourir devant leurs mines impassibles, sous un ciel menaçant.

Le hurlement de la *mara*, mélange de fureur et de triomphe, me transperce les tympans. Elle déteste Liadan parce qu'elle vit et qu'elle l'a vue. Elle veut la faire disparaître. J'entends Caitlin gémir, épouvantée, sur le lac. Elle pressent la fin. Les vivants, eux, tremblent de la tête aux pieds, ayant peut-être perçu un subtil changement, mais ils ne voient pas la bourrasque qui fouette l'herbe de chaque côté de Liadan.

Car je me suis moi aussi mis à courir. Je ne vais pas laisser ce démon femelle tuer Liadan sans réagir. C'est une pensée irrationnelle, car je ne sais pas en quoi je peux l'aider. La *mara* progresse, mue par son désir de destruction, alors que je suis habité par le désespoir. Si Liadan meurt, s'il ne reste d'elle qu'un corps froid et inerte, cela me rendra fou de douleur.

Mon Dieu, non ! Elle va arriver avant moi. Sans réfléchir, je m'élance vers Liadan et, au lieu de la traverser, je m'introduis en elle de manière inédite. J'entends les vivants crier, je sens la *mara* me percuter, puis l'énergie ébranle les arbres voisins et les lumières s'éteignent, nous plongeant tous dans un noir d'encre.

CHAPITRE 38
Liadan

– Où suis-je ? murmuré-je.

– Dans la maison d'Elrond, mon cher Frodon.

– Alar ? demandé-je, sachant que nul autre que lui n'aurait l'idée de citer *Le seigneur des anneaux.*

Je trouve ça drôle, pourtant je suis incapable de rire. Mon corps est douloureux, comme si j'avais été renversée par une voiture. Éblouie par la lumière, je ne peux ouvrir les yeux. Je fais l'effort de mettre une main en visière sur mon front et découvre ma chambre, chez le professeur McEnzie. Au moins, je ne suis pas attachée à un lit d'hôpital. Je vis, je n'ai rien d'un fantôme et ne passerai pas l'éternité aux côtés d'Alar. Je réagis et me redresse brusquement. Prise de vertiges, j'arrive néanmoins à le voir, calé dans mon fauteuil de lecture.

– Alar... Je ne comprends pas... J'ai dormi tout ce temps jusqu'à Halloween ?

Il éclate de rire, ce qui fait ondoyer les rideaux de la pièce. Dehors, il fait nuit, mais la *mara* a disparu.

– Absolument pas. Tu es restée inconsciente pendant trois heures. Les autres pensent que tu t'es évanouie à cause de la tension accumulée ces derniers temps et de la foudre qui t'est tombée dessus. Toutes les ampoules avaient explosé, mais ils ont trouvé une lampe de poche et t'ont découverte étendue dans l'herbe. Tu bougeais encore, mais tu délirais, mon amour, m'explique-t-il en souriant. Tu disais que tu ne voulais pas partir « sans lui ». McEnzie a cru que tu étais paniquée à l'idée d'aller à l'hôpital et que tu parlais du devoir d'histoire. Ensuite, les infirmiers t'ont transportée jusqu'ici.

Il fronce les sourcils et regarde par la fenêtre. Pour lui, c'est sans doute très étrange d'être ailleurs qu'au château.

– J'ai été frappée par la foudre ? Mais que s'est-il passé ? Et toi ? Comment se fait-il que tu sois ici ?

J'ai besoin qu'il me réponde pour apaiser mon cœur. Je refuse de me bercer d'illusions et de me figurer qu'il va rester tout le temps à mes côtés. S'il part, j'en mourrai.

Il m'observe, et ses yeux verts et transparents me semblent plus beaux que jamais.

– Je ne sais pas. Je suis passé au travers de ton corps pour faire bouclier et la *mara* m'a heurté pendant que j'étais en toi. Je pense l'avoir détruite. Son énergie est entrée en collision avec la mienne et elle s'est dissoute. C'est peut-être ainsi que disparaissent les démons dans son genre ou les simples spectres comme moi. Nous ne sommes pas faits pour des chocs aussi violents. C'est ce qui se passe avec l'antimatière, n'est-ce pas ? En tout cas, j'ai l'impression que c'est une explication plausible. L'important, c'est que la *mara* n'existe plus et que tu sois vivante. Quand on t'a ramenée ici, tu t'accrochais à moi.

Il se penche vers moi, mais je ne l'écoute qu'à moitié tant je suis surprise de le voir dans ma chambre.

– Personne n'a remarqué que tu t'agrippais à mon bras, bien sûr, continue-t-il. Tu m'as entraîné à l'extérieur. Je t'ai demandé de me lâcher, mais tu voulais m'emmener avec toi hors du château. Tu étais tellement angoissée que je ne t'ai pas contredite. Peu m'importait ce qui risquait de m'arriver, je me suis laissé faire. J'ai suivi les autres et suis tout simplement sorti de l'enceinte du lycée. J'ai eu l'impression de traverser un rideau de vent, je crois que les infirmiers l'ont remarqué, mais tu t'étais évanouie en serrant ta main dans la mienne.

Nous avons donc failli mourir tous les deux, et la certitude que nous nous en sommes sortis me rassure pleinement.

– J'ai agi avec toi comme avec Bobby, susurré-je, éperdue de joie. Alors tu es libre !

– Non.

– Pourquoi ?

– Je suis lié à toi.

– Vraiment ? m'écrié-je en fronçant les sourcils.

– Ça te déplaît ?

– Non, certainement pas, mais que se passera-t-il quand je mourrai ?

Il part d'un rire qui me procure d'autant plus de plaisir qu'il résonne ici, dans ma chambre.

– Je l'ignore. En fait, je ne suis pas vraiment rattaché à toi, mais j'aimerais bien. Je t'aime et mets mon existence à ta disposition. J'irai partout où tu iras et je vivrai avec toi. Personne n'est obligé de savoir que tu es la fiancée d'un fantôme. On te prendra pour une femme indépendante qui a choisi de rester célibataire, ça se fait beaucoup de nos jours. Et puis, tu as deux amis avec qui partager ton secret...

– Mais je vais vieillir et...

– Moi aussi.

Avant que je l'aie traité de menteur, il se transforme : son front se ride, des pattes-d'oie se dessinent autour de ses yeux, ses cheveux blanchissent. Son visage est devenu celui d'un séduisant homme mûr, puis d'un vieillard. Je suis sidérée.

– Tu vois ? Je vieillirai au même rythme que toi, déclare-t-il d'un ton neutre. Je ne désire rien d'autre.

– Alors tu m'aimes vraiment ? lâché-je ébahie.

– Évidemment. Je t'aime plus que ma propre mort. Maintenant, c'est à toi de réfléchir, car pour le reste du monde je n'existe pas. Je suis un très mauvais parti, tu devras être forte pour nous deux.

Je m'esclaffe à cette idée, encore trop sonnée pour évaluer la situation à sa juste mesure. Mais je crois que, puisque je suis maintenant persuadée qu'il ne va pas me quitter, je serai heureuse avec Alar.

On frappe de légers coups à la porte, puis Aith et Keir pénètrent dans mon studio.

– On t'a entendue rire, me dit Aith. Tu es seule ?

– Non.

Keir est derrière elle et observe les lieux. Devant mon regard interrogatif, il secoue la tête. Il est encore plus abasourdi que moi, mais j'ai l'impression qu'il sait tout.

– Je n'irai plus jamais me promener au bord du lac, souffle-t-il.

Il est donc au courant. Aith et moi sourions et je pouffe lorsque Alar déclare :

– Je crois en effet que c'est préférable.

Il ne plaisante pas. Nous discutons quelques instants, puis ils me racontent en détail comment le devoir d'histoire leur a permis de convaincre McEnzie et le psychiatre que j'avais joué la comédie. Alar a fait un excellent travail. Quant à Aith, elle est même allée interroger les gens qui me voyaient souvent m'attarder devant la statue de Bobby. Elle est parvenue à leur faire dire qu'en passant près de la statue, certains avaient des frissons et qu'au Mary King's Close, ils percevaient la présence d'Annie. Les fantômes du lycée n'étaient donc pas les seuls.

Nous avons obtenu un « bien ». Malcolm n'a pas voulu nous accorder un « très bien », au motif que nous ne l'avions pas prévenu de nos intentions. Aith a dû lui promettre de ne jamais renouveler ce type d'expérience sans lui en parler au préalable. Mais il a néanmoins trouvé nos recherches très intéressantes, elles ont donné une seconde naissance aux mythes de la ville.

– J'espère qu'il me permettra de passer encore quelques années ici, murmuré-je.

– Tu n'es plus obligée de rester, je peux partir avec toi, me dit Alar.

– Mais j'ai envie d'être en Écosse. Avec Aith et Keir, Caitlin et Jonathan, Annie, Bobby et toi. J'aimerais bien les arracher à leur territoire...

Keir me regarde bizarrement, conscient que ce n'est pas à lui que je m'adresse.

– Il vaut mieux ne pas prendre trop de risques, me conseille Alar.

Il a raison. En l'entraînant avec moi, j'aurais pu le faire disparaître à jamais s'il n'avait pas cédé d'aussi bonne grâce à ma volonté.

– Alors, j'ai été frappée par la foudre ? soufflé-je, incrédule.

– Non, répond Keir, toujours tendu. C'est moi qui ai inventé cette histoire. J'ai vu une branche tomber d'un arbre à cause de l'énergie dégagée par la *mara*. Le ciel était couvert, j'ai trouvé cette explication pratique pour justifier ta chute et l'explosion des ampoules. Aith et James semblaient très convaincus. Les autres ont eux aussi fini par nous croire, même Malcolm. J'aurais bien aimé que Gala soit là pour nous voir.

Je le félicite pour sa perspicacité et regrette qu'Aith et lui ne puissent révéler leur secret aux personnes qu'ils aiment. On frappe à nouveau à la porte et James apparaît, un petit bouquet de fleurs à la main. Je suis stupéfaite, car nous venons juste de parler de lui. Je ne serais pas plus étonnée s'il nous annonçait qu'il a vu la foudre tomber sur moi.

– Ça va, mademoiselle *Montblaench*?

– Oui, James, merci.

– Je voulais savoir... Il existe vraiment, n'est-ce pas ?

D'abord, je me demande ce qu'il veut dire, puis je comprends. Un jour, il a fait une plaisanterie au sujet du fantôme de la bibliothèque, mais ses yeux exprimaient le plus grand sérieux. Alar m'a raconté qu'il l'avait attiré jusqu'au corps de la jeune élève tombée dans l'escalier en colimaçon. James s'est toujours douté de sa présence depuis qu'il travaille au château. C'est un homme du Nord, une région où les légendes côtoient la réalité.

Je garde le silence tandis qu'Aith et Keir détournent la tête pour regarder la bibliothèque. C'est notre façon de dire à James qu'il ne s'est pas trompé.

– Remercie-le pour les journaux, me lance Alar.

Il s'est informé de ce qui se passait de nos jours grâce aux piles de quotidiens que James accumulait dans sa loge pendant la semaine. Il les prenait sans jamais les remettre à leur place, si bien que James se plaignait de leur disparition.

– James, merci pour les journaux.

Il sourit discrètement et s'en va. Sans doute est-il soulagé, comme nous autres. Nous restons dans ma chambre, heureux, en parfaite harmonie.

Je pose ma tête sur l'épaule d'Alar, sous les yeux de Keir et Aith. Ils trouvent peut-être ma posture étrange. J'adorerais qu'ils puissent voir combien Alar est merveilleux. Il m'embrasse sur la tempe et me prend dans ses bras. Je me blottis contre son torse tiède.

– J'y vais, m'annonce-t-il. Je dois rendre visite à Jonathan et Caitlin et les rassurer sur ton état. Je compte aussi discuter avec Annie, qui était inquiète. Bobby a rôdé toute la nuit devant chez toi. Maintenant, tu as un chien.

Il a raison : j'ai un chien et une petite sœur, même s'ils sont morts.

– Très bien, vas-y, mais dépêche-toi de revenir ou je vais finir par croire que tu t'es perdu dans les limbes.

Il se lève en me faisant un clin d'œil, ouvre la porte et la referme derrière lui au lieu de la traverser. Keir et Aith sont pétrifiés.

Aith inspire longuement et s'assoit à côté de moi, sur le lit.

– Maintenant, je comprends presque toujours ce qu'il dit. C'est vrai que tu as une famille, Liadan, déclare-t-elle en me serrant la main.

Pour ne pas se mettre à pleurer, elle s'empare de la télécommande. Keir, en revanche, est encore traumatisé par le fait qu'une morte, qui est à présent devenue mon amie, a cherché à le noyer. Il est tout à fait normal qu'il réagisse ainsi. Lorsqu'il s'assoit dans le fauteuil de lecture, je lui adresse un sourire.

– Tu me préviendras, si un jour je m'installe sur ton fiancé ? dit-il en éclatant de rire.

– Bien sûr.

Je vis sans nul doute une situation insolite, mais je me sens à l'aise au sein de cette famille singulière composée de vivants et de morts. À mes yeux, ils ne sont guère différents les uns des autres.

Au moins, je sais que ma place est pour ainsi dire entre deux univers. À présent que j'ai trouvé le bonheur, j'aimerais que tout le monde soit heureux. Je ne suis pas au bout de mes peines.

Découvre d'autres romans de la collection

La musique, c'est toute ma vie (l'amour, très peu pour moi)

de Josie Bloss

Traduit de l'anglais (États-Unis)
par Valérie Latour-Burney

Depuis toujours, je m'investissais à fond dans la fanfare du lycée... À dix-sept ans, je n'avais toujours pas de petit ami. La musique, c'était toute ma vie. Alors, évidemment, le jour de mon premier solo de trompette en public, je voulais que tout soit parfait. Et c'est là, juste au moment où je prenais une profonde inspiration avant de commencer, les lèvres sur le métal froid, que je l'ai vu... Et j'ai loupé ma première note.

Mon cœur qui bat si fort

de Alf Kjetil Walgermo

Traduit du norvégien
par Marina Heide

... Je me suis adossée au mur. Droite comme un i, j'ai écouté mon cœur battre. Da-vid. Da-vid. Da-vid. Da-vid. Oui, j'étais amoureuse. Du plus beau garçon du collège. Un frisson m'a parcourue. Et si mon nouveau cœur ne se souvenait pas de lui ?